Les joues roses

Malika Ferdjoukh

Les joues roses

Neuf

l'école des loisirs

11, rue de Sèvres, Paris 6ᵉ

Du même auteur à *l'école des loisirs*

Dans la collection *Médium*

Fais-moi peur
Faux numéro
Rome l'enfer

Pour Jessica et Benjamin Goldman,
mes neveux en ville lumière.

Pour Orit et Noa Nakab,
mes nièces en ville d'or.

Pour Vera Steiner
qui vit la tête à l'envers,
de l'autre côté de la Terre.

Pour Samir et Déborah,
les amoureux du CM1.

« *Boris Ivanovitch Cherguine*
battit des paupières, comme s'il émergeait d'un rêve.
Ses joues rondes et roses
devinrent un peu plus roses. »

Mélanie Daniels, le Choix de Nina

Premier chapitre

Jusqu'à hier 17 heures, j'étais une fée du logis.

Je vous conjuguais les verbes «astiquer les meubles», «bricoler le micro-ondes», «laver la salade», à tous les temps et à tour de bras... Et même «coudre un bouton», qui est le verbe le plus difficile de la langue française. Surtout pour un garçon!

Et je suis un garçon dont le papa perd régulièrement ses boutons.

Tous les soirs, à moi le ménage et les devoirs! Lessive entre deux multiplications, tomates farcies dans le périmètre du rectangle, rangement-placards en deux strophes de poésie...

Mais je n'avais aucun mérite, j'étais bien entraîné! Au supermarché par exemple, calculer la marge de bénéfice entre le paquet de 370 grammes de coquillettes et celui de 265 grammes me prenait quatre secondes maximum.

Bref, à la maison je savais tout faire. Donc je faisais tout.

*
* *

Mon père, lui, ne fait RIEN. Il se contente d'être une grosse tête. Par grosse tête, je ne veux pas dire qu'elle dépasse les dimensions moyennes; ça signifie simplement qu'elle est pleine. Trop pleine.

Mon père ne s'occupe ni d'astiquer, ni de laver, ni de cuisiner (pourtant, ce sont des verbes réguliers), il n'en a pas le temps. Et même s'il l'avait, il ne saurait pas.

Papa est un grand savant. Il crée des fusées et des satellites toute la journée devant son ordinateur. Logique qu'il soit dans les nuages, me direz-vous? C'est ce que je me disais aussi.

Mais, la vérité, c'est qu'hier j'en ai eu ASSEZ.

S'occuper soi-même de soi-même quand on a dix ans (j'allais dire dix balais) ce n'est pas si drôle. Si, en plus, il faut surveiller les grands qui se conduisent comme des garnements!

Que papa prenne le train de Quimper en croyant aller à Toulouse… bon.

Qu'il oublie l'heure d'été parce qu'il se croit en décembre… admettons.

Qu'il envoie sa déclaration (d'impôts) à la voisine qui se marie, et ses sincères félicitations au Trésor public… passons.

Mais hier, il a vraiment exagéré! Il a…

Revenons à hier.

*
* *

Je sortais de l'école en compagnie d'Elsa. Mon amie Elsa, qui a les cheveux blond rose et un petit creux dans chaque joue comme si un ange l'y avait embrassée trop fort. On discutait boulot.

— J'ai rien compris en maths, dit Elsa.

Elsa ne comprend jamais rien aux maths.

— On pourra les faire ensemble, si tu veux? proposai-je.

On fait toujours nos maths ensemble. Enfin, disons que je trouve les solutions pendant qu'Elsa les recopie.

— Y a de quoi goûter chez toi?

— Il reste de la brioche d'hier, dis-je, assez fier.

C'est moi qui l'avais faite. Elsa (admirative) :

— De la brioche? Tu sais faire ça, toi?

Moi (modeste) :

— C'est pas dur. Question de levure. T'en achètes de la fraîche, tu laisses tiédir au coin du four. Après, quand la pâte a gonflé...

— Si tu me racontais ça un autre jour, Julius?

Elsa ne s'intéresse pas du tout à la cuisine. Elle préfère la mécano, les moteurs, les motos, ou démonter les vieux téléphones. Devant son immeuble, elle a ri :

— Quand on sera mariés, faudra varier le menu... de tes conversations, Julius!

Parce que c'est entendu entre elle et moi : plus tard on s'épouse et on pilotera des Boeing à deux étages. Quand elle parle de moi à Mme Taticheff, sa mère, Elsa dit toujours : «Un Julius dans une maison, c'est une Rolls dans un garage.» (Pensez ce que vous voulez, c'est un compliment).

J'ai dit :

— J'ai les courses à faire. On se retrouve à la maison tout à l'heure ?

Elsa partie, je pris le chemin de l'épicerie, comme chaque soir.

J'aurais pu écrire une encyclopédie sur ce martyre quotidien des ménagères : QUE FAIRE À DÎNER ?

Chouette, les citrouilles étaient en promotion. J'en achetai une belle grosse tranche. Trois petits tours au mixer et elle deviendrait une exquise soupe de carrosse. J'adore la soupe de carrosse. D'ailleurs, on aurait pu m'appeler Cendrillon.

J'allai ensuite chez le boulanger, le crémier, le boucher, le teinturier, etc. Comme chaque soir.

Quand je regagnai la maison, j'étais plus chargé qu'un âne turc, le cartable sur le dos, un sac plastique à chaque doigt.

*
* *

Ma rue est une rue tranquille. Le genre de rue dont on oublie le nom, coincée entre l'avenue et le boulevard.

Hier, surprise! elle était complètement chamboulée. Un camion de déménagement bloquait la circulation. Des autos klaxonnaient, une foule stationnait sur le trottoir. Et, en double file, il y avait une citerne de pompiers flamboyante...

Des pompiers!

Mon sang fit demi-tour. J'eus un pressentiment affreux... Je me mis à courir. C'est-à-dire à essayer de faire avancer la citrouille, et le pain, et mon cartable bourré, et la paire de draps emballée, et mes sacs Prisunic qui balançaient comme des cloches, et mes jambes.

— Ah, Julius! lança M'ame Fuch, notre gardienne. On arrive après la bataille?

Le pressentiment affreux devint une certitude atroce… Je me précipitai dans l'escalier.

Deux pompiers descendaient en s'esclaffant.

— Y a l'feu? haletai-je.

— Tu parles! répliqua l'un.

— On se le demande! dit l'autre.

Et ils se remirent à rigoler. Et j'aurais bien aimé savoir pourquoi.

Au troisième étage (le mien) une porte était ouverte (la mienne). Une odeur…

Une odeur de fumée froide flottait.

Et pas seulement! Beaucoup d'autres choses flottaient dans l'appartement! Sur la moquette transformée en lac: des assiettes-radeaux, des cuillers-kayaks, le canapé-paquebot, un oreiller-bouée, des pantoufles-pirogues…

Et au milieu de ce raz de marée domestique, il y avait Jean-Luc Valette. Mon père.

Jean-Luc Valette, mon père, qui écopait l'océan avec six centimètres d'éponge et un verre à vodka.

— Mais… qu'est-ce qu'il y a eu?

– Feu et inondation, répondit-il avec une belle simplicité.

Il fixa ses pieds nus (pas si nus, ils étaient couverts d'eau) et clap-clapota pensivement des orteils.

– T'as rien?

– Je n'ai rien, non, dit papa. Même pas mes lunettes. Tu ne les vois pas, par hasard?

Ça, c'était papa Jean-Luc craché! En plein tremblement de terre, il vous parlerait de l'anneau de Saturne.

J'accrochai mes paquets aux poignées de portes qui étaient à portée de poignet et je courus dare-dare au débarras sortir un branle-bas de serpillières, de bassines, de serviettes, de chiffons...

*
* *

Au bout de vingt minutes, onze bassines et huit seaux, on commençait à entrevoir le haut des poils de la moquette. Je branchai le radiateur.

— Il ne fait pas si froid, objecta mon père.

— C'est pour sécher. Maintenant tu me racontes?

Papa s'assit sur la table, et moi à côté de lui. C'était le seul endroit sec du salon.

— Euh. Si tu vois mes lunettes… Je raconte mieux quand j'ai mes lun…

— Plus tard!

— T'énerve pas, fils. Je t'explique. Euh… J'étais à mon ordinateur, je cherchais le mégahertz Alpha dans la fréquence numérique Omega. Sacré Alpha! Il n'arrêtait pas de jouer à cache-cache avec mon écran! Il était là, et puis flich! il n'était plus là! Bref, j'en ai eu assez. J'ai mis du cafe à chauffer. Il était 2 heures. Après, je retourne à mon travail et… qui je vois?

— Qui?

— Le mégahertz Alpha!

— …?

— Il était revenu sur l'écran!

— Alors, tu as oublié le café sur le gaz.

— Euh. Exact. Beaucoup plus tard, j'ai senti

une odeur de brûlé. Une grande fumée noire venait de la cuisine... La casserole avait fondu comme un caramel et les torchons flambaient!

— Alors, tu as appelé les pompiers.

— Pas du tout. J'ai rempli une marmite au robinet de la baignoire. J'ai arrosé l'incendie.

— Alors, tu as tout inondé.

— Pas du tout. À peine mouillé. J'ai ouvert les fenêtres pour chasser la fumée. Et je me suis remis à l'ordinateur... des fois que mon Alpha se serait encore caché.

— Et alors?

— Et alors, il s'était bel et bien caché, le filou!

À bout de nerfs, j'ai hurlé:

— ET ALORS POURQUOI LES POMPIERS SONT-ILS VENUS?

Papa poussa un soupir:

— À cause de Mme Fiacre, la voisine d'en face. Toute cette fumée qui montait de notre fenêtre, ça l'a affolée Elle a alerté la caserne. Les pompiers sont arrivés ici avant que j'aie eu le temps de...

– M'enfin, puisque t'avais éteint le feu, pourquoi ils ont inondé partout?

Papa fit le geste de remonter ses lunettes sur
son nez. Comme le Saint-Esprit ne les y avait toujours pas fait revenir, il se gratta le front.

– Euh. C'est pas les pompiers.

– ...

– C'est le robinet de la baignoire.

– ...

– J'avais oublié de le fermer.

*
* *

En voyant l'état de la cuisine, j'ai vraiment
craqué.

Une varicelle noire couvrait le mur, les étagères ressemblaient à des plaques de réglisse mâ-
chée et la gazinière à un grand cube de bouillon de
poule concentré.

– Désolé, fils, murmura papa. Je ne recom-
mencerai plus, promis.

J'explosai:

— Désolé! La cuisine est une ruine gréco-romaine; dans le salon, tu me fais les chutes du Niagara… et voilà tout ce que tu trouves à dire?

Papa fit une grimace et baissa la tête comme un mauvais élève. J'ai continué sur le même ton:

— Quand est-ce que t'arrêteras de faire le guignol? Quand auras-tu l'âge de raison? Je ne pourrai pas être ta maman toute ta vie, papa!

Il eut l'air affreusement malheureux.

— Tu as raison, fils, chuchota-t-il. Je suis trop distrait. Trop, trop distrait.

Ses yeux de rien y comprendre, son air de myope sans lunettes… Il me fit tant de peine que j'eus subitement envie d'être gentil, de ne plus crier, de le prendre contre mon épaule. Après un long silence, j'ai soupiré:

— Bon… Tu dois avoir faim après tout ça?

Pourtant je ne me sentais plus aucun courage pour la soupe de carrosse! Papa se pencha et m'embrassa.

— Un peu, répondit-il avec un sourire confus.

Dis voir, il nous restait pas un pilon de poulet et des cornichons?

Dans le frigo, il y avait en effet un pilon, des cornichons, un carré de gruyère et...

— Papa! Tes lunettes!!

Deuxième chapitre

Ce soir-là, Elsa et moi transpirions à grosses gouttes au-dessus du problème de maths.

En vérité, ce n'est pas les maths qui nous donnaient chaud mais le sèche-cheveux. Elsa avait eu l'idée de faire un brushing à la moquette, pour la sécher.

Elle recopiait donc le problème d'une main ; de l'autre, elle baladait le séchoir pointé vers le sol. Pour l'instant, il y avait trente centimètres carrés de sec. Le reste suintait comme une pelouse fraîche.

– Dis donc, t'en mets un temps pour faire cette malheureuse addition !

C'est vrai, j'avais beaucoup de mal à me concentrer. Mais je n'osais pas lui dire. Je n'osais pas lui dire que j'avais un père qui me préoccupait, que je me sentais triste, triste… Même s'il n'y avait pas vraiment de raison.

– C'est ton père?

Cette fille m'épate souvent (c'est une des raisons qui m'ont décidé à l'épouser), mais là elle m'impressionnait!

– Tu vas sévir, j'espère? Parce que s'il continue ses bêtises, tu retrouveras l'appartement sur orbite un de ces jours!

– Mmmh.

Elle afficha un air résolu:

– Fais la grève! Ne t'occupe plus de rien! Fini la soupe de carrosse et les brioches! Fini le nettoyage et le raccommodage…

Vrombissant de colère, son sèche-cheveux gigotait du museau, soufflant un vent de panique sur les cahiers et les livres. Les pages galopaient les unes derrière les autres avec des caquètements de volaille.

– … ton père passera lui-même l'aspirateur et il se chauffera des surgelés! Voilà!

— Le problème, dis-je, c'est qu'il oubliera de manger et que la maison ressemblera à un zoo.

Elle stoppa le séchoir. Les pages retombèrent net, d'un bloc, comme un silence dans un précipice.

Regardant fixement ses additions, Elsa se tortillonna une mèche sous le nez, en forme de moustache. Cela lui donnait un air de mousquetaire. De mousquetaire rêveur.

— Julius... je sais pourquoi! Tout ça, c'est à cause... C'est parce qu'il manque...

Elle hésita, et enfin:

— Il manque quelqu'un dans cette maison! acheva-t-elle.

Je regardai bêtement autour de nous.

— Quelqu'un?

Les fossettes se creusèrent dans les joues d'Elsa. L'ange venait d'y enfoncer deux doigts pour la faire sourire.

— Quelqu'un pour s'occuper de ton père.

— Une baby-sitter? ricanai-je. T'en connais qui garde les pères?

Elle reprit sa mine grave.

– Quelqu'un qui ferait les choses à sa place…
À TA PLACE, Julius!

Elle hésita encore, me regarda droit dans les
yeux comme si elle allait m'annoncer la nouvelle
du siècle.

– Julius… Ton père devrait se marier.

Je la fixai, bouche bée.

C'était bien la nouvelle du siècle!

*
* *

Cette nuit-là, mon crâne bouillait.

Primo, à cause des quatre radiateurs réglés au
maximum pour sécher l'appartement. Secundo, à
cause de ce que m'avait dit Elsa.

Papa et moi, on vivait seuls depuis très longtemps.

Non, je rectifie: depuis très longtemps, papa
vivait seul avec moi et je vivais seul avec lui. Au
fil du temps, j'avais appris à penser à sa place. À
penser à tout ce qu'il oubliait. À faire ce qu'il au-

rait dû faire... mais qu'il était trop distrait pour faire.

Je me disais bien parfois (souvent même) que j'étais trop petit pour encaisser les bêtises de mon galopin de père. Mais l'idée de le marier ne m'était jamais venue.

En disant cela, Elsa avait planté une espèce de clou dans ma tête. Il me faisait un peu bizarre ce clou, un peu mal, mais je ne pouvais pas m'empêcher de trouver qu'elle avait raison.

Une fois que je serais grand et qu'on piloterait des Boeing à deux étages avec Elsa, papa resterait tout seul avec son ordinateur. Et ce n'est pas ses satellites qui lui prépareraient sa compote, ni le mégahertz Alpha qui l'accompagnerait au cinéma.

Papa Jean-Luc marié...

Mmmouais...

... Mais avec qui?

Qui pourrait-il bien épouser?

Il était bien trop occupé pour penser à ces choses. Pour ça, il aurait fallu qu'il sorte, qu'il voie du monde.

Or il était TOUT LE TEMPS devant son ordinateur!

Je m'endormis sans trouver de réponse.

*
* *

Ce matin, je posai la question à Elsa.

— Il n'y a qu'à chercher à sa place! répondit-elle. On trouvera pour lui!

Ben voyons. Comme s'il s'agissait de la bonne pointure d'une paire de moufles! Chercher une femme pour papa à la place de papa? Mais comment? Comment savoir? Comment choisir?

— Il faudra qu'elle soit belle, continua-t-elle.

— Je préfère qu'elle soit gentille, dis-je.

— Intelligente, en tout cas.

— Douce.

— Et utile.

— Qu'elle sache faire la compote et la soupe de carrosse.

— Qu'elle conduise une voiture.

— Un camion.

– Une maîtresse d'école? Elle te fera tous tes devoirs!

– Ah non! Elle criera comme Mme Manchon. Je veux pas d'une qui crie.

Elsa réfléchit un peu.

– Une parfumeuse? Elles sentent toujours bon.

– Ah non! Y aura des flacons plein les étagères, et si jamais je les casse...

– Alors une docteur? C'est bien, ça, une docteur, non? Comme ça, si vous êtes malades...

– Elle sortira les piqûres, merci bien!

Elsa se mordit un ongle. Puis un deuxième ongle. Puis un troisième ongle. Puis:

– Je sais! Une pilote d'avion. Elle nous apprendra à voler.

C'était mieux.

– T'en connais, toi?

– J'en ai vu une, une fois. Elle descendait de son avion...

Elsa fit une grimace:

– On aurait dit une sorcière qui lâchait son manche à balai.

Je soupirai. Elsa aussi.

– Faut pas oublier une chose très importante, dit-elle soudain. Il faudra surtout qu'elle ait envie de se marier avec ton père. Parce que, euh... quand même, il est bizarre ton père.

Je soupirai. Elsa aussi.

C'est vrai que mon papa n'était pas comme les autres, avec sa tête tellement pleine que, des fois, elle avait l'air complètement vide.

– Oui, c'est ça! continuait Elsa en s'approuvant elle-même. Il faut trouver quelqu'un qui voudra de lui.

Je soupirai. Elsa aussi.

La question importante devenait la suivante: comment deviner quand une dame serait d'accord pour épouser mon papa bizarre?

*
* *

L'après-midi, à l'école, Elsa arriva de déjeuner avec cinq minutes de retard... et une drôle de figure! Non seulement l'ange des fossettes lui donnait un sourire perpétuel, mais il lui promenait des rêves dans les yeux.

À la récré, elle m'a entraîné dans un coin de la cour.

— Regarde! chuchota-t-elle.

Et de sortir un livre de sa poche.

Sur la couverture, on voyait le dessin d'une dame en robe rouge, devant un château bleu, qui levait les yeux vers le ciel jaune. Un monsieur en noir se baladait à cheval sur un nuage mauve.

— C'est un album de coloriages?

Elsa avait l'air tout excité.

— C'est à Tatie. J'y ai trouvé un truc qui va nous aider.

Je ne voyais pas le rapport entre papa Jean-Luc, cette dame rouge et le type qui galopait en l'air sans se casser la figure par terre (il avait beau être dans les nuages et mon père dans la lune, ils ne se ressemblaient pas du tout).

— Papa a la trouille des chevaux, dis-je à tout hasard.

Sur le dessin, la dame rouge avait l'œil gauche

plus petit que le droit, mais je ne dis rien pour ne pas vexer Elsa. Il y avait écrit *Collection Palanquin*, sous ce titre qui me laissa perplexe : *le Prince des Neiges*.

— C'est un conte de Noël ?

— Une histoire de mariage. Un roman d'amour ! Écoute…

Elle ouvrit à la page qu'elle avait cornée et me lut :

Aurore de Saint-Frusquin leva ses magnifiques yeux pers sur le prince Cyril de Primpéran et…

(Yeux pers ? me dis-je. Kécekça ? Est-ce que c'est avoir une paire d'yeux pas pareils ? C'est-à-dire plutôt… impairs ? Comme ceux de la dame sur la couverture ? Je le plaignais, ce pauvre prince Cyril de Perlimpimpin !)

… et ses joues devinrent roses (continuait de lire Elsa) *comme les roses du mois de juin. Aurore comprit alors qu'elle l'aimait. C'était lui, et lui seul, qu'elle épouserait !*

Elsa referma le livre, l'air de… comment vous expliquer? Si, à ce moment, un Boeing était passé dans le ciel de la récré, elle l'aurait probablement touché du doigt.

— Tu vois?

Qu'est-ce qu'il fallait voir? Une dame en rouge qui devenait rose pour un monsieur en noir? Et après?

— Idiot! Tu comprends rien? C'est grâce à ça qu'on devine si quelqu'un aime quelqu'un!

— Grâce à… quoi?

Elsa grogna d'une façon horriblement vexante.

— C'est écrit noir sur blanc! Quand une femme rougit en regardant un homme, c'est qu'elle est amoureuse de lui! A-mou-reu-se!

Elle n'avait pas besoin de me le répéter comme un mot défendu, je commençais à comprendre.

— Tu veux dire…

— Si une dame attrape les joues roses à cause de ton père, c'est qu'elle sera prête à l'épouser!

C'était parfaitement clair. Les joues roses s'attrapaient comme les boutons d'une maladie. La maladie de l'amour.

On devait donc trouver des joues roses et la dame qui allait avec.

Troisième chapitre

Percer trois trous dans la barquette surgelée. Chauffer quatre minutes au micro-ondes...

Les lasagne en barquette étaient déprimantes.

La tête de mon père aussi.

Mais les lasagne n'y étaient pour rien. Une fois de plus, papa Jean-Luc ruminait ses fréquences Alpha!

Hypocritement, je susurrai:

— Il est délicieux ce canard, hmmmh?

— Euh. Oh, je me régale! répondit papa, morose.

— Et les olives? T'as goûté les olives?

— Euh. Oh, exquises! dit-il en contemplant le bout de sa fourchette vide.

Je me penchai en travers de la table, jusque sous ses narines, et j'éclatai:

— Sauf que le canard c'est des lasagne, et les olives du fromage!

Il sursauta. On aurait presque pu voir les fréquences Alpha tomber de ses pensées dans l'assiette.

— On dîne, papa! Oublie le boulot.

— Excuse-moi, fils. Je… je pensais à Juliette.

Juliette?

Mon cœur battit d'un fol espoir.

— Elle n'était pas au rendez-vous, reprit-il d'un air affreusement lugubre.

Rendez-vous?

— T'avais rendez-vous avec Juliette? soufflai-je.

— Pas moi. Basile. Juliette devait rejoindre Basile à 12 heures 07 aujourd'hui, mais elle est sortie de son orbite. L'autre fois, c'est Ariane qui a failli rester sur la rampe!

Ariane.

La fusée bien sûr!

Quant à Juliette et Basile… Des satellites!

Je poussai un long, long, long soupir et avalai une bouchée mélancolique. Si même les satellites se manquaient!

Mon papa irrécupérable a quitté la table pour aller replonger dans son écran.

*

* *

J'avais à peine débarrassé qu'un bruit terrible ébranla le plafond et les murs. Une espèce de hurlement affreux, qui traversa l'appartement et nous glaça le sang. *Poouiin Kronk hiêê…* Un mélange d'aboiements, de ricanements et de barrissements.

— C'est quoi ce cirque? grogna mon père en relevant la tête de son clavier.

Le hurlement s'amplifia. *Pooouuiiiinn Kroonkk! hiêêêê…* Pas de doute! Des loups, des hyènes et des éléphants faisaient une boum à l'étage du haut!

— Bon sang, fit papa en repoussant sa chaise. Je vais voir!

Je m'élançai à sa suite, sur le palier.

Dehors, c'était nettement moins fort que dedans. On ressentait juste des vibrations, comme si la porte du dessus emprisonnait le bruit et l'empêchait d'aller vadrouiller dans l'escalier. Papa et moi, on écarquillait nos quatre oreilles.

Soudain, en plus des ricanements, des aboiements et des barrissements, il y eut… du tam-tam!

Un tam-tam lointain mais profond, qui vous entrechoquait les molaires et redressait la tignasse du paillasson; les araignées, paniquées, en faisaient du trempoline sur leurs toiles.

— C'est à cause du conduit de la cheminée, expliqua papa. Il passe dans le salon, voilà pourquoi ce boucan arrive chez nous comme dans un haut-parleur! Je vais monter dire deux mots à ce petit rigolo.

— Mais c'est vide là-haut!

M. et Mme Bochard avaient vendu le mois dernier. Il y avait même eu des travaux après leur départ.

Et tout à coup, je me rappelai… Hier! Mais oui, hier! Ce camion de déménagement dans la rue, garé à côté des pompiers…

On avait un nouveau voisin!

Papa grimpa à la vitesse d'un homme-canon. Là-haut, il sonna, frappa, carillonna, tambourina, secoua la poignée, appela… Personne n'ouvrit.

— Ce type est sourd! brailla papa.

Moi, je pensais bêtement que ce voisin tout neuf faisait surtout tellement de foin qu'il aurait eu du mal à nous entendre!

Hagard, papa finit par redescendre.

Nous étions là, à nous demander quoi faire — mais quoi faire? — quand brusquement… Silence.

Silence total.

— Pas trop tôt! grommela papa.

Et il s'en alla sur-le-champ retrouver ses chers Alpha.

Le calme dura exactement neuf minutes.

À 20 heures 16, la ménagerie se déchaîna de plus belle, éléphants, loups et hyènes. Peut-être même qu'on y avait rajouté un singe, parce qu'on entendait aussi *gnâk! gnâk! gnâk!*

Alors, à bout de nerfs, papa traîna la table au centre de la pièce, hissa un tabouret sur la table, ses pieds sur le tabouret, et se mit à pilonner le plafond avec le balai. Le résultat fut une belle cacophonie pour percussions, vacarme et hurlements.

– C'est fini, oui! beugla mon père en fixant les moulures d'un air si féroce que je n'aurais pas été étonné si, brusquement, elles avaient éclaté en sanglots en disant: «C'est pas nous! C'est pas nous!»

Il cogna, et cogna, et vociféra, et cogna, comme ça pendant dix minutes. Rien à faire.

Et puis, tout à coup... Tout à coup, il se passa deux choses en même temps: quelqu'un sonna à l'entrée. Et le bruit s'arrêta.

Fini. On n'entendait plus rien.

Si... On entendit, une deuxième fois, la sonnette de l'entrée.

– Va voir, dit papa en tournicotant ses pieds qu'il ne savait plus comment dé-percher de son tabouret. C'est peut-être lui?

J'allai ouvrir.

C'était Mlle Piquet (la grinchue du dessous), en robe de chambre orange décorée de parapluies jaunes.

Elle me passa devant, aussi raide que son nom, le menton dressé comme un coin de table, pour aller se planter direct devant papa. Je veux dire devant l'échafaudage de papa.

Le regard de Mlle Piquet monta très lentement, du sol vers le plafond. Le plafond… où papa Jean-Luc, avec son manche à balai et en équilibre sur une jambe, ressemblait un peu à un funambule, un peu à un alpiniste, un peu à une danseuse tamoul, et beaucoup à un imbécile.

— Monsieur Jean-Luc Valette! grinça Mlle Piquet. Est-ce VOUS qui tambourinez?

— Euh, bredouilla mon père. Je tape au plafond, Mademoiselle Piquet. Je… tape au plafond parce que…

— Parce que?

— Vous… vous n'avez pas entendu? Le voisin du haut! Il joue du tam-tam, et…

Mlle Piquet tourna la tête à droite, à gauche, avec des airs de chien de chasse.

— Tam-tam? Où ça? Je n'entends rien.

— Je… euh, c'est normal. Le conduit de cheminée ne passe pas de votre côté, mais euh, je vous assure Mademoiselle Piquet…

Mlle Piquet replia ses parapluies contre elle, se haussa dans ses chaussons, prête à décoller direction le lustre.

— Monsieur Valette, articula-t-elle, vous êtes un individu dangereux! Hier vous avez failli transformer l'immeuble en chandelle romaine, puis en pétard mouillé... Ce soir, vous empêchez le monde de dormir en faisant des Lego géants, tout ça parce que VOUS entendez un tam-tam que personne n'entend...

Là, j'intervins:

— Je suis témoin. Je l'ai entendu aussi.

Elle m'a regardé méchamment sous ses paupières toutes rétrécies, et je me suis senti tout rétréci aussi. Elle a secoué ses manches orange, comme pour égoutter le bout des parapluies jaunes.

— Vous ne travaillez pas trop, Monsieur Valette? Ces fusées, ces satellites, ça ne vous monte pas au cerveau au lieu de monter en l'air?

Papa Jean-Luc soupira.

— Je vais très bien, Mademoiselle Piquet.

— J'en suis ravie, Monsieur Valette. Est-ce

que je peux me recoucher tranquille maintenant?
Vous ne taperez plus comme un sourd?

— J'aimerais être sourd, grogna mon père.

— Plaît-il?

— Je ne frapperai plus, Mademoiselle Piquet.
Bonne nuit.

— Bonne nuit.

Elle fit demi-tour-droite, dans une sortie au
pas de hussard.

Je refermai la porte derrière elle.

Et, comme par hasard, quand Mlle Piquet eut
verrouillé la sienne au-dessous... le raffut repartit
au-dessus!

Cela dura jusqu'à 22 heures. C'était, m'apprit
mon père, l'heure limite autorisée par la loi pour
faire du bruit.

Entre-temps, je dus pousser une commode avec
une chaise, afin que papa Jean-Luc puisse quitter sa
Grande Arche de la Défense sans se casser le tibia.

*
*   *

Mercredi, linge sali.

Mercredi, c'est jour de lessive.

À la maison, nous avons un lave-linge, seulement papa Jean-Luc n'a jamais branché le tuyau d'évacuation. Notre machine ne sert donc à rien, sauf à encombrer l'espace entre le frigo et l'évier. Voilà pourquoi mes matinées du mercredi se déroulent au Lavomatic du quartier.

Ce mercredi, j'avais rendez-vous chez Elsa. On devait établir notre plan de vol, comme les pilotes de Boeing.

Il s'agissait de savoir *où* et *comment* naviguer pour atterrir où on voulait atterrir: c'est-à-dire là où se cachait l'épouse future de mon père.

L'épouse future de mon père… J'en rêvais!

Je l'imaginais endormie sur un lit immense à moustiquaire (parfaitement, une moustiquaire), toute seule dans un long château vide (parfaitement, un château), à attendre qu'Elsa et moi on sonne à sa porte. On arriverait, et on la délivrerait (évidemment, elle était prisonnière), et on lui présenterait papa. Elle le regarderait, elle sourirait, et elle s'exclamerait… Là, mon film s'arrête.

Parce que je ne sais pas ce que pourra bien s'exclamer l'épouse future de mon père en voyant mon père! Jean-Luc Valette en Prince Charmant, c'est vachement dur à imaginer. Même en lui retirant l'ordinateur et les lunettes.

Ce mercredi-là, j'ai donc embarqué mon linge sale et je suis allé chez M. et Mme Taticheff, les parents d'Elsa.

— Aï-i! s'écria Mme Taticheff en m'ouvrant la porte. Bonnezour Rouliousse!

Si vous avez traduit par «Bonjour Julius», vous avez bon. La mère d'Elsa a l'accent de son pays natal, l'Argentine.

— Aï-i! répéta-t-elle en m'embrassant autant de fois que si j'avais dix joues. Zé souis contente dé té voir, aï…

Si vous pensez qu'elle s'est coincé l'index dans la porte, vous avez faux. C'est un aï! de joie. Un aï! argentin.

Mme Taticheff se prénomme Marcia. Son mari l'appelle Marrrzouchka, parce qu'il est né à Moscou. Lui, c'est les « r » qu'il rrroule, comme s'il cachait une provision de roudoudous russes derrière ses dents. Son prénom c'est Ilan, mais elle l'appelle Elane.

Justement, le voilà qui arrivait derrière.

— Julieff! Hoï, mon garrrçon! Quel grrros sac! C'est lourrrd, heuh?

— Tou sais bienne qué c'est mercrédi auzourd'houi, Elane! Il ba au Labomatic abec Elsita.

J'ai parfois le sentiment qu'ils sont des espèces d'extraterrestres tous les deux. Et pourtant! Ils ont l'air de s'entendre si bien!

Longtemps, ce mercredi, je les ai regardés qui se tenaient, souriant, côte à côte, devant moi... Je me suis mis à souhaiter que l'épouse future de mon père puisse avoir les baisers de Mme Taticheff. Juste les baisers! Je pensai : Alors papa aurait tout le temps le sourire de M. Taticheff!

La grand-tante Taticheff (Tatie, celle qui engloutit les romans d'amour comme des louchettes de miel) est apparue à son tour, emmitouflée dans un foulard à mimosas :

— Mais f'est Fuliuf!

Avec elle, c'est plus dur. Quand Tatie Taticheff porte son appareil dentaire, elle prononce
une moitié des consonnes, et quand elle l'oublie
elle ne dit que l'autre moitié. On la comprend
donc à demi-alphabet. Ou, si vous préférez, à
demi-mot.

Avec la famille Taticheff, on a l'impression
agréable que le français est une langue trois fois
étrangère. Ou que les choses portent plusieurs
noms. Ou qu'on comprend trois langues diffé-
rentes. C'est reposant, car on ne vous corrige jamais.

— Tu es fenu foir Elfa?

— Oui, répondis-je (j'avais tout bien compris). On doit aller...

— Au Lafomatic... F'est fe qu'elle nous a dit.

— *Da!* Parrrce que c'est merrrcrédi, Tatie.

— Notre Rouliousse, il est si mignonne abec
son papacito!

Elsa est sortie de sa chambre. J'ai bien vu que
les grandes personnes espéraient quelque chose.

Les grandes personnes espèrent toujours quelque chose des enfants… Peut-être qu'on s'embrasserait, Elsa et moi, devant eux? Mais alors là, tintin!

Pour ça, on a attendu d'être dans l'escalier.

Après, Elsa s'est mise à sauter les marches à cloche-pied en chantonnant:

C'est l'histoire d'un p'tit pâtissier
Dont l'amour se perd
Ainsi qu'un éclair:
Je lui ai offert un saint-honoré
J'en suis tout baba
Car elle s'en moka.
Alors je pleure comm' une mad'leine…

Quatrième chapitre

Vous êtes-vous déjà occupé de lessive? Il faut trier le linge avec soin. Pas question de mélanger! Un jour, papa a bouilli chemises, culottes, chandails, écharpe, tout ensemble. Résultat: les chemises avaient l'air de culottes, et les culottes l'air de rien que je connaisse. Quant à l'écharpe, on pouvait escalader cinq girafes superposées avec.

Au Lavomatic, pendant que je triais, donc, Elsa m'observait, les coudes sur la machine, un poing contre chaque joue, le sourire en ligne droite d'un poing à l'autre, géométriquement jolie.

— Dis, Julius, dit-elle tout à coup. Tu connais la différence entre le mariage et un Boeing qui va en Australie?

J'étais en train de verser l'assouplissant... Pas le

moment de me perturber ! Je levai un œil. Le sourire d'Elsa était remonté en courbe entre ses
poings, comme un hamac entre deux pommiers.

— Ma langue au chat, dis-je en replongeant
dans mon doseur.

— Y en a pas. C'est tous les deux des long-
courriers !

Une dose de lessive pour le prélavage, deux
pour le lavage…

— Et, continuait Elsa, je suis d'accord pour
être ton copilote, Julius. Toute la vie.

Cette fille est insupportable. Parfois, elle vous
dit de ces trucs tellement gentils, tellement inat-
tendus, qu'il y a de quoi s'emmêler lavage et prélavage… C'est ce qui est arrivé. J'ai confondu les
doses.

J'ai grogné :

— Merde, ma lessive.

En vérité, ça voulait dire : «Moi aussi».

Moi aussi, j'étais d'accord pour la vie, d'accord pour le mariage et les lessives long-courriers
avec elle. J'ai cherché une phrase pour le dire sans

avoir l'air bête ni trop content. J'ai seulement appuyé sur le programme à 60 degrés.

— Z'auriez pas de la monnaie de dix francs? Pour l'essoreuse.

Un jeune homme en short s'était avancé. Un nouveau sûrement! Un qui faisait son baptême du linge. Parce que, entre nous, je vous le demande: comment peut-on se pointer au Lavomatic sans monnaie? Hein? Je le regardai avec pitié avant de lui donner ses pièces.

— Faut qu'on parle de l'épouse future de mon père, dis-je quand le jeune homme fut reparti.

Elsa sourit au hublot de la machine à laver. Elle sourit à ses pieds, au plafond, puis encore à ses pieds. Elle se mit à fredonner:

C'est l'histoire d'un p'tit pâtissier
Dont l'amour se perd
Ainsi qu'un éclair…

Je la connaissais mon Elsa! Surtout avec ce sourire! Je lui pris le bras.

— T'as une idée?

Et la voilà qui se fend d'un sourire pour l'essoreuse, d'un autre pour le distributeur de lessive, et
pour les serpillières suspendues, et les caleçons du
panier, avant de me répondre :

— Je l'ai trouvééée, chantonna-t-elle douce-
ment. Trouvééé l'épouse future de ton pêêêêre…

Elle m'a empoigné la main et m'a conduit devant la porte vitrée.

— Elle est là-bas.

Là-bas, c'était le trottoir d'en face. Sur le trottoir d'en face, la seule future épouse de mon père
qu'on voyait, c'était la mère Chandelle sur son
banc. Une vieille plus vieille que Tatie Taticheff,
qui nourrit les pigeons du quartier et… qui pourrait être l'arrière-arrière-grand-mère de mon père.

— La mère Chandelle ?

— Andouille !

Je regardai mieux.

— La boulangère ? Mais Mme Molen a déjà un
mari !

Regard de reproche d'Elsa.

— Julius Valette ! Je me demande si je fais le

bon choix en t'autorisant à être le copilote de ma vie… Regarde QUI est avec Mme Molen.

Je vis alors, à l'intérieur de la boulangerie, une jeune fille inconnue, jolie, avec des macarons sur les oreilles et un chausson aux pommes dans les mains.

— C'est Mariette. Elle travaille là depuis hier, m'expliqua Elsa. Elle est canon, non ?

Elle se remit à fredonner :

C'est l'histoire d'un p'tit pâti…

Une boulangère ! ça, c'était vraiment une idée !

Pendant une seconde, je me mis à rêver des rêves de chocolat, de crème, de nougat… Des rêves dorés, sablés, feuilletés, de petits déjeuners moelleux, tièdes, sirupeux…

Mais je secouai la tête.

— Il la verra pas ! dis-je. Papa n'y met jamais les pieds. La corvée du pain c'est toujours pour bibi.

— Faut le faire aller de force !

— Admettons. Mais après? Acheter une baguette ça n'a jamais marié personne!

— Après? murmura Elsa, une lueur dans les yeux. Il FAUT qu'elle le remarque.

*
* *

8 heures 15

— Papa!

— Moui?

— Plus de croissants surgelés...

— Mmmh.

— Tu voudras descendre à la boulangerie?

— Il reste bien un quignon de pain? Fais-nous des toasts.

— Bon. (Soupir.)

*
* *

12 heures 10

— Papa!

— Moui?

— Avec les toasts de ce matin, on a fini le pain!

— Mmmh.

— Tu pourras descendre à la boulangerie?

— Il nous reste bien deux ou trois biscottes, non?

— Bon. (Gros soupir.)

*
* *

18 heures 50

— Papa!

— Moui?

— Plus de biscottes! Plus de pain! Plus rien!

— Mmmh.

— Tu veux pas descendre à la boulangerie?

— Pas besoin... Si tu fais la pizza.

— (Très gros soupir.)

*
* *

Elsa me demanda comment ça se présentait.

— Mal! répondis-je. Il a fini par aller chercher le pain.

— Ah!!

— Hier.

— …?

— C'était le jour de fermeture.

— Et aujourd'hui?

— Aujourd'hui il a croisé M'ame Fuch qui partait faire ses courses… Il lui a demandé de nous rapporter le pain.

— Zut crotte zut!

*
* *

Le soir, Elsa m'a rappelé:

— Il est là?

Han han. Il se torgnole avec Alpha.

— Un jeu vidéo?

— Son ennemi juré. Un de ces jours, l'un va massacrer l'autre.

J'ai entendu Elsa froncer les sourcils.

— Je rigole, dis-je (sans rigoler du tout). Papa est seul avec moi.

Et j'ai ajouté: «comme d'habitude», mais très bas.

— Écoute, chuchota-t-elle. Je rappelle dans

trois minutes. Arrange-toi pour que ton père dé-
croche.

— Qu'est-ce que tu vas faire?

— Tu vas voir! me répondit-elle, mystérieuse.
Mais tu laisses ton père répondre, compris?

Qu'est-ce qu'elle mijotait? J'ai raccroché.

Au bout de trois minutes exactement, le téléphone se mit à hurler tout ce qu'il pouvait.

— Encore! grogna mon père, au bout de sept
sonneries. Tu y vas?

— J'suis aux cabinets! clamai-je.

Je venais de m'y enfermer. Seule excuse que
j'avais trouvée pour laisser le standard à papa Jean-
Luc.

Je l'entendis se lever, se cogner dans une chaise, décrocher le téléphone où il aboya un «Ah!»,
grinça un «Ah-ah?», souffla un «Oh!», susurra un
«Ooooh?». Et pour finir murmura «merci».

— Qui c'était? demandai-je en sortant de mon
repaire.

— La boulange.

Il fronça les sourcils:

— On a gagné un prix à la quinzaine commerciale.

Un prix à la quinz… ?

— Gagné quoi ?

— Douze litres de crème Chantilly.

Il remonta ses lunettes d'un doigt pensif.

— Douze litres ! répéta-t-il. On va en faire quoi ?

J'ai réfléchi.

— Une indigestion, dis-je.

Sacrée Elsa ! Je conclus :

— Je ne pourrai jamais porter ça tout seul. Faudra que tu m'accompagnes.

Mon-épouse-future-à-moi-était-un-génie !

*
* *

Depuis qu'Elsa m'avait présenté Mariette, le matin du Lavomatic, j'étais allé rôder plusieurs fois vers la boulangerie.

Mariette était vraiment jolie. Elle changeait de coiffure deux fois par jour. Deux fois par jour, elle déguisait ses cheveux en pâtisserie: chou tire-bouchonné sur la nuque, pièce montée sur le crâne, meringue au-dessus du front...

Ce soir-là, quand j'entrai dans le magasin avec papa Jean-Luc, elle les avait nattés genre fougasse au sucre. À croquer.

— Oui? s'enquit-elle aimablement quand ce fut notre tour.

Je la fixai de tous mes yeux. Je fixai, fixai, fixai ses pommettes en espérant... je ne sais quoi! Un feu d'artifice! Une illumination! Un incendie sur ses joues! bref, une flamme rose qui nous donnerait le feu vert de l'amour! En vérité, si la tête de Mariette s'était mise à clignoter comme un lampion du Japon, j'aurais trouvé ça parfaitement normal.

— On vient pour la chantilly, dit mon père.

— Combien?

— Mais... douze litres, je crois.

Ah! il se passait quelque chose! En entendant le chiffre, Mariette avait battu des cils, sa natte frémi de surprise.

— Douze? répéta-t-elle. C'était une commande?

— Non, on les a gagnés.

Avais-je la berlue? Les joues de Mariette se coloraient. Sa narine tremblait, sa bouche s'écarquillait...

Ah! ah! Notre boulangère tombait-elle amoureuse de papa Jean-Luc?

Cinquième chapitre

Pas du tout.

On vit soudain Mariette se figer en une expression d'horreur! De profonde, d'immense, d'horrible horreur! Comme si on l'avait mise au supplice d'avaler les douze litres de Chantilly en douze secondes.

Ses yeux épouvantés ne regardaient plus mon père mais quelqu'un d'autre derrière nous. Elle hurla:

— La marquiiiise!

... en bondissant hors de son comptoir, les mains tendues vers un tourniquet à bonbons.

Près du tourniquet en question, une petite fille blonde souriait tout en léchant son index chapeauté de crème chocolat.

— Pas ma faute! clama Elsa.

Elsa, oui. À qui d'autre vouliez-vous qu'elles soient, ces angéliques fossettes?

Elle me fit un signe discret tout en continuant:

— J'allais prendre les boules de coco derrière, mais votre tourniquet il tourne pas!

Pour démontrer la chose, mon Elsa chiquenauda le présentoir qui, au lieu de pivoter, pencha subitement comme une tour Eiffel en guimauve, et toutes les guirlandes de bonbons piquèrent une tête dans...

— LA MARQUIIIISE! hurla derechef Mariette. La marquise en chocolat! Le gâteau de mariage de la fille du maire!

— Attendez!

Binocles hardiment remontés, l'allure docte, papa Jean-Luc venait d'intervenir.

— Je vais vous aider, dit-il.

Il enlaça les guirlandes à deux bras comme pour les inviter à danser et essaya de redresser la tour Eiffel, mais le socle était en gros marbre, la

Cellophane des emballages dérapait. Il ne souleva rien du tout.

— Aidez-moi, dit-il à Mariette.

— Ma marquise… dit Mariette à papa.

— Je vais vous aider, dit Elsa à papa.

— Pousse-toi de là, dit papa à Elsa.

— Je vais vous aider, dis-je à papa et Elsa.

— Restez où vous êtes, nous dit papa.

Toujours cramponné à ses guirlandes de bonbons, il regarda la boulangère avec désespoir:

— Aidez-moi donc!

J'allais m'élancer, mais Elsa me retint d'un clin d'œil:

— Ttt! Ttt! fit-elle entre ses dents. Laisse-les faire.

À son tour, Mariette agrippait le tourniquet tandis que papa se baissait pour dégager le socle. Le socle ne voulut rien savoir.

Pour faire levier, papa appuya son talon au comptoir et poussa de toutes ses forces. Miracle… Le socle bougea! Il partit brutalement en arrière… Et papa partit en avant. Et Mariette de travers, les guirlandes en l'air, la tour Eiffel par terre!

Une avalanche!

Je crois que les seules choses qui sont restées debout dans le magasin, c'est moi et Elsa.

Dans quel ordre pourrais-je vous raconter la suite? Tout sembla se passer en même temps!…

J'ai vu papa Jean-Luc qui plongeait en apnée dans un paris-brest, le nez de Mariette faire des bulles dans la crème renversée, la main de papa qui décapitait la marquise, les talons de Mariette patiner sur le sucre glace, le poing de papa qui balançait des uppercuts à une armée de diplomates imbibés de rhum, la tresse de Mariette qui taggait le comptoir au cacao, tandis qu'un bocal de tuiles aux amandes leur dégringolait sur le crâne…

Avec une grimace pour Elsa, j'ai murmuré:

— Complètement tartes, tes idées.

Quand enfin on l'eut remise d'aplomb, notre boulangère avait les yeux en désordre et les joues vermillon. Mais je peux vous garantir que ce n'était ni d'amour ni de passion!

Au milieu du désastre, avec des gesticulations hystériques, elle brailla :

— Sortez ! Sortez ! Sortez d'ici ! Tous !

*
* *

Plus tard, je pus tirer deux conclusions de l'affaire.

Un : la fille du maire allait se marier sans gâteau.

Deux : marier papa, c'était pas du gâteau.

*
* *

Pouiiiin... Gnâk... hiêêê... PAN ! PAN !

Je me réveillai d'un bond.

Des coups de feu dans la nuit ! *Pan ! Pan ! Pan !*

Ça venait du dessus. Le voisin recommençait son safari ! Et, cette fois, il décimait ses éléphants, ses singes, ses hyènes, à coups de fusil ! Minuit, l'heure du massacre.

Pan, pan, et pan ! cognait le fusil là-haut.

Toc, toc, et toc ! mitraillait mon cœur en bas.

La porte de ma chambre s'entrouvrit.

— Fils, fils! bredouilla la tête ébouriffée de papa. Tu entends ça?

Il aurait fallu une bûche dans chaque oreille pour ne pas entendre!

— Faut l'avertir que la chasse aux éléphants est interdite, dis-je.

— Et qu'à minuit passé, on laisse les bêtes euh… les gens dormir!

Dans le salon, à cause de la cheminée, c'était pire. Un vrai mégaphone! Vous savez, quand un copain vous chuchote un *ouh !* lilliputien au bout d'un long tuyau et que votre tympan à l'autre bout reçoit un HOUH!! géant à vous tordre de douleur? Eh bien, c'était exactement ça! Multiplié par mille.

Le safari dévalait le conduit. Je me suis serré, pas très rassuré, contre papa. Je m'attendais vraiment à voir des rhinos, des hippos, bref tout un zoo, surgir de la cheminée comme d'une hotte de Père Noël satanique.

Papa chaussa fébrilement ses lunettes, pointa le doigt en l'air tel un capitaine en mer :

— Cette fois, grinça-t-il, ce gougnafier va m'entendre !

Ce qui était une simple formule vu que s'entendre, à ce moment-là, était aussi facile que boire une tasse de thé au fond d'une piscine pleine.

Papa marcha résolument vers le téléphone.

— Je vais te le sonner, moi !

Il feuilleta l'annuaire à toute vitesse, d'une seule main, et je pensais que s'il avait battu trois œufs avec autant de passion, j'aurais enfin pu dire que mon père savait faire une omelette.

Il s'arrêta net, fronçant les sourcils :

— Au fait, tu connais son nom ?

— Tarzan, dis-je, lugubre. Ou Mowgli. Ou docteur Schweitzer...

Exaspéré, j'ai lancé :

— Comment veux-tu que je le sache !

— En effet, admit papa. Qui pourrait savoir ?

— M'ame Fuch, la gardienne. Mais elle dort.

Peut-être Mlle Piquet. Mais elle dort! Peut-être le roi de Suède. Mais il dort!

— J'aimerais en faire autant! Je monte!

— Ça sera pareil que l'autre jour, il n'entendra rien...

— JE MONTE!

— ... et tu vas ameuter l'immeuble.

Papa Jean-Luc boutonna le col de sa veste de pyjama, remonta l'élastique du pantalon et, martial, fonça vers l'entrée.

— Tes pantoufles! criai-je.

Il était déjà sorti.

J'attendis donc à l'entrée, la porte bâillant à moitié, moi bâillant en grand.

Comme l'autre fois, on n'entendait presque rien sur le palier. Le boucan était étouffé par je ne sais quel tour de passe-passe. Quelqu'un qui se serait aventuré à notre étage aurait juré que ce ramdam venait de chez nous. Tout ça par la faute de cette cheminée imbécile qui ne nous servait même pas puisqu'on a le chauffage électrique.

Et j'attendais, j'attendais les protestations de

papa, ses carillonnades et tout le tintouin qui n'allait pas tarder là-haut…

Rien ne se passa.

Papa réapparut subitement sur le seuil, se frottant les mains l'une contre l'autre, l'air proprement réjoui. Il se rua sur le téléphone.

En décrochant, il me fit un clin d'œil de satisfaction méchante.

— Cette brute s'appelle Dominique Laventure! Il a eu la bonne idée d'épingler une carte de visite sous sa sonnette. Avec son numéro de téléphone! Ah! Ah! Comment que je vais te le sonner…

Il composa le numéro. J'appuyai aussitôt sur le bouton CHORUS du téléphone, le bouton qui hausse le son et qui permet à tout le monde (c'est-à-dire moi) d'écouter recto-verso la conversation dans la pièce.

Après quatre sonneries, on décrocha. Il y eut des crachouillis avec, bien sûr, en fond sonore, la cavalcade du safari. On avait l'impression d'appeler Zanzibar.

— Allô oui? fit une voix.

Il y eut un silence (simple formule là encore, mais vous m'avez compris). Papa et moi, on s'est regardés comme deux nigauds parce qu'on ne s'attendait pas du tout, mais alors pas du tout, à ça! Ce n'était pas Tarzan.

C'était Jane. Une voix de femme, très agréable et très polie.

— Allô?. . Je vous écoute.

Difficile d'injurier une voix pareille! Quoique déstabilisé, papa se ressaisit:

— Dominique Laventure?

Il ajouta même «s'il vous plaît», c'est dire qu'il était troublé!

— C'est moi.

Ça y est! Papa Jean-Luc reprenait du poil de la bête! Il retroussait les babines.

— Ah! Ah! C'est donc vous qui êtes au-dessus!

Silence… (Simple formule, vous dis-je!) La dame qui était à l'autre bout du fil paraissait à l'autre bout de la Terre. Elle demanda enfin:

— Au-dessus de quoi?

— Au-dessus de chez nous!! hurla papa. Au-dessus de notre appar…

— Une seconde, coupa-t-elle. Je reviens.

La seconde en dura dix.

Et alors le bruit s'éteignit. Ffft! comme on souffle une bougie, comme on ferme un robinet. Un silence de Bois dormant. Et ce n'était pas une simple formule cette fois… mais le soleil après le tonnerre, le caramel après le dentiste, le 20 sur 20 après un zéro. C'était un vrai de vrai de silence dans le téléphone et dans toute la maison.

— Pardonnez-moi, mais je n'entendais rien, murmura tranquillement la dame avec un rire façon soupir. Bon, alors… pourquoi me déranger si tard? Vous avez intérêt à avoir une bonne excuse, conclut-elle, riant toujours.

Papa Jean-Luc en était bouche bée. Muet. Sifflet coupé. Cette hurluberlue nous jouait son «Carnaval des animaux» au milieu de la nuit et osait demander de sa voix gentille pourquoi on la dérangeait si tard.

Je vis mon père s'étrangler de tous les noms d'oiseaux qu'il n'arrivait pas à articuler.

— Éc... Écoutez... bégaya-t-il. Vous... je... écoutez...

— J'écoute, cher monsieur! Je ne fais même que ça! (Elle rigolait encore.) Mais si c'est pour vous écouter ne rien dire...

Et la voilà qui s'esclaffe carrément. L'œil de papa Jean-Luc vira au mauve sanguinaire puis au rouge étincelle. Ses mots faisaient des sauts de toupie à l'intérieur de ses joues, ses narines sifflaient comme deux Cocottes-Minute.

— Allô? interrogea la dame d'un ton inquiet. Vous êtes malade? Vous en faites un bruit!

Papa devint fou furieux:

— Du bruit, moi! Malade, moi! (Il éclata de rire aussi, mais d'un rire qui faisait peur.) Mais c'est vous qu'on devrait envoyer à l'hôpital! À l'asile oui! Avec les zinzins de votre espèce!

Tandis que papa Jean-Luc reprenait (difficilement) sa respiration et émettait des gargouillis d'indignation, la dame reprit de sa voix toujours suave:

— Cher monsieur, vous me dérangez à minuit pour me conseiller d'aller à l'asile. Soit. J'y vois deux raisons possibles : ou vous vous êtes trompé de numéro. Ou c'est vous qu'il faut enfermer !

Papa fixa le téléphone comme s'il y découvrait un nid de cafards.

— Moi ? aboya-t-il. À l'asile, MOI ? J'aimerais vous y voir VOUS, oui !

— Et moi vous y voir VOUS ! répliqua-t-elle sèchement.

Sur ces deux souhaits aussi semblables qu'opposés, la dame raccrocha.

Un instant plus tard, le safari repartait sur la piste de la cheminée.

*
* *

— Et qu'est-ce que vous avez fait alors ?

— Rien. On s'est rempli les oreilles de coton et on s'est mis des traversins sur la tête. On avait l'impression de dormir dans le tunnel sous la Manche.

Tout en m'écoutant, Elsa plongea une cuiller dans le saladier pour se servir une lichette de fromage blanc aux cerises. Nous étions chez elle, dans la cuisine, avec Tatie Taticheff.

— Fouche pas à fa! s'exclama Tatie qui pétrissait un morceau de pâte aussi vigoureusement que s'il eût été son pire ennemi.

Tatie était en train de m'apprendre la recette des *creplers,* les petits ravioli aux fruits de sa jeunesse en Russie. Elle me trouve meilleur élève cuisinier qu'Elsa. Ce en quoi elle a raison. Grâce à elle, je suis devenu le roi du *lekeh,* le prince du *latkess* et l'archiduc du *kugel.*

— Manque de sucre, rétorqua Elsa en claquant une langue critique.

Elle se tourna vers moi:

— Finalement, c'était quoi ces coups de fusil chez Jane de la Jungle?

J'allais répondre que j'en avais aucune idée quand le dentier de Tatie Taticheff se mit à cliqueter en direction de l'évier:

— F'il te flaît, tu me paffes le fol? demanda-t-elle, battant sa boule de pâte dans un nuage de farine.

Je lui passai le bol.

— Et après? dit Elsa.

— Afrès, répondit Tatie, faudra découfer la fâte en carrés et...

— Je parlais à Julius, Tatie.

— Après, dis-je, j'ai fait un nœud à l'oreiller pour ne pas oublier d'acheter des boules Quies. On va en avoir drôlement besoin!

Dans le dos de Tatie, Elsa se resservit une lichette de fromage blanc aux cerises.

— Dommage! fit-elle rêveusement.

— Dommage quoi?

— Oui, fommage quoi?

— Dommage... C'est tout.

Cette fille est insupportable.

Sixième chapitre

Aujourd'hui, les nuages collaient au ciel, plus sales que de vieux chewing-gums oubliés sous une table.

— Et si on essayait le Minitel? dis-je à Elsa.

On avait remis le sujet sur l'épouse future de mon père.

Tout en marchant, je me concentrais pour compter les personnes de la rue qui portaient quelque chose de bleu.

Je m'étais fait un pari: si j'obtenais un nombre supérieur ou égal à 13 avant d'arriver à la porte de l'école, papa Jean-Luc trouverait son épouse future (et pour savoir la date du mariage, je n'aurais qu'à faire un autre pari).

Entre nous, c'était tellement idiot que je me

gardai bien de confier à Elsa ces calculs extra-scolaires (mais, toujours entre nous, j'en étais quand même à mon quelque chose de bleu nu-méro 8).

— J'ai vu une pub chez le marchand de jour-naux, continuai-je (tout en comptant mon numé-ro 9, un cycliste avec un foulard turquoise). 3615 code JOLIMEUF... et tu obtiens une liste de gens pour te marier avec.

— Mais, riposta Elsa, on a besoin que d'une personne, pas d'une liste !

Au bout d'un moment, elle ajouta :

— Et sur un Minitel, comment tu veux voir si des joues deviennent roses ?

Pourtant, elle conclut :

— T'en as, toi, un Minitel ?

— Non.

(Un bébé avec un bonnet bleu marine : numé-ro 10.)

— Moi non plus. Tu connais quelqu'un qui en a ?

Numéro 11 : une dame au sac bleu ciel, pas le

ciel de ce matin d'accord, mais bleu quand même (le sac).

— Non, répondis-je.

— Moi non plus.

Douze! J'en étais à mon bleu numéro 12 et à seulement dix pas de l'école. Plus qu'un! Vite, un regard à droite, un regard à gauche… Zut crotte zut! Personne.

Je ralentis l'allure. Il NE FALLAIT PAS passer la porte sans mon numéro 13, ou tout mon pari était par terre!

— Qu'est-ce t'as à tourner de l'œil comme ça? me demanda Elsa.

— Rien.

On arrivait devant l'école… et toute la rue s'était donné le mot pour que je perde mon pari, et papa ses chances d'épouse future. Pas le moindre petit bout de bleu à l'horizon chewing-gum sale.

— Dépêche! On va être en retard.

— Ho! Ho! Vous savez quoi? a hurlé Samir, un garçon de la classe, devant le portail. Super-nouvelle!

Il faisait des bonds sur le trottoir comme s'il était pieds nus sur des orties. Rien de bleu sur lui. Il portait simplement un sparadrap, couleur indéterminée, au menton. Ce qui ne l'empêcha pas d'ouvrir grande la bouche pour brailler:

— Y a pas de maîtresse! Mme Manchon est malade!

— Ouaih!! s'exclama Elsa.

— Génial, dis-je.

En vérité, je l'avais vachement mauvaise. Primo, à cause de mon pari que j'étais en train de perdre. Deuzio, j'ai horreur quand la maîtresse n'est pas là parce que le directeur nous disperse dans les autres classes. On se retrouve chez les petits et c'est assommant. Ou chez les grands et c'est casse-pieds.

— Qu'est-ce qui t'est arrivé? interrogea Elsa en montrant le menton de Samir.

Avec un sourire de soldat exhibant ses médailles, il a décollé un coin du pansement pour qu'on admire sa blessure.

— Beurk! a fait Elsa.

— Je me suis cogné avec la bande de Gabrielle-d'Estrées.

La bande de la rue Gabrielle-d'Estrées, c'est des méchants assez méchants. À mon avis, si Samir s'était vraiment cogné avec eux, c'est dans un lit d'hôpital qu'il nous l'aurait appris. Et encore! pas sûr qu'il aurait pu parler... puisqu'ils lui auraient cassé la mâchoire.

— T'es pas tombé du lit plutôt? ricanai-je.

— Ou, ajouta Elsa, t'as embrassé une peau de banane en croyant que c'était Débo?

Déborah et Samir, c'est comme Elsa et moi.

D'ailleurs, à la maternelle, moi aussi j'ai été amoureux de Déborah malgré qu'elle faisait pipi chaque fois que la pendule de la classe sonnait 15 heures 30.

— Oh! Fais voir? dis-je en m'approchant, parce que sous le pansement de Samir je venais d'apercevoir...

— Beurk! a répété Elsa en faisant semblant de ne pas supporter. Y a du sang!

— C'est pas du sang, andouille! a répliqué

Samir. C'est du bleu de méthylène, ma mère m'a désinfecté.

Samir ne saurait jamais qu'en devenant mon bleu numéro 13, il venait de collaborer au mariage futur de mon père.

— Dépêchez-vous de rentrer, ah! ah! ça va sonner! gronda la voix du directeur dans le hall.

On a avancé sans piper. Le directeur s'est tourné vers la minijupe noire qui était debout à côté de lui.

— Voici trois de vos énergumènes, Mademoiselle Brèze. Je vous souhaite bien du courage ah! ah! pour votre remplacement.

Remplacement? Cette Mlle Brèze c'était donc…?

— Déjà? gémit Samir, catastrophé.

Lui, Elsa et moi, on a alors regardé un peu mieux ce qu'il y avait au-dessus de la minijupe: un pull rose, un collier avec des perroquets en bois, un sourire où les dents brillaient comme de la peinture fraîche, deux yeux violets. La maîtresse remplaçante!

Elle était… divine.

— Ils m'ont l'air très mignons, dit-elle d'une voix parfumée.

Pendant que le directeur s'éloignait en faisant ah! ah! Mlle Brèze s'est baissée vers le menton de Samir. Les perroquets en bois se sont balancés à son cou en murmurant *vrou vrou vrou,* on aurait dit des colombes.

— Qu'est-ce que tu t'es fait? demanda-t-elle avec l'air d'une maman qui se fait du souci.

— Euh… fit Samir. Je… J'suis rentré dans la porte du frigo.

Il n'arrivait plus à mentir tellement elle était jolie. Il nous a jeté un regard en coin, gêné.

— Il est tout sale ton sparadrap.

— C'est pas sale. C'est le bleu de méthylène. Ma mère m'a désinfecté.

— Viens, je vais t'en remettre un propre.

Elle a embarqué Samir, une main sur son épaule.

J'ai regardé Elsa. Pas besoin de se parler: on avait pensé les mêmes pensées.

La maîtresse remplaçante était drôlement belle! Sa voix parfumée. Ses perroquets qui faisaient *vrou vrou* autour de son cou… et, avec un nom pareil, les joues de Mlle Brèze devaient rosir plus vite que des braises!

— Et ça vous fait marrer? a grogné Samir quand il nous a retrouvés dans la cour, dix minutes plus tard.

Pauvre Samir. Pourquoi on était si contents d'avoir une maîtresse remplaçante, ça non plus il ne comprendrait jamais!

* * *

— Faut qu'il la voie!

— C'est ça. Je vais lui dire: «J'ai décidé de marier papa, venez voir quelle tête il a!» Non mais tu disjonctes, hé!

— Fais-le venir ici!

— Mon père vient jamais me chercher, tu sais bien.

— On va l'obliger.

— Et comment?

Elsa se redressa au milieu de la récré. Son regard fit le tour, se posa sur M. Laron, le prof de gym qui nous surveillait. Brusquement, elle me chuchota :

— Tape-moi dessus.

— Hon ?

— Flanque-moi des baffes ! Fiche-moi par terre !

Je ne bougeai pas plus qu'un poireau dans une plate-bande.

— Pour ton père ! grogna Elsa. Vas-y, cogne ! Allez !

Elle fit une moue de pitié.

— Tu veux que je te montre ? Tiens !

Et je me retrouvai par terre, avec l'impression d'avoir plongé dans une baignoire sans eau. La tête d'Elsa arriva à cent à l'heure contre la mienne.

— Il m'a fait un croche-paaatte ! hurla-t-elle.

— C'est pas vr... commençai-je, indigné.

Tout le monde s'attroupa.

— Qu'est-ce qui se passe là-bas ? tonna la voix de M. Laron, le prof de gym. Allez ! Debout !

— Peuuux paaas ! pleurait Elsa.

Elle tenait son bras gauche comme une soc-quette oubliée.

Cette fille est insupportable.

— Menteuse! dis-je. J'ai rien…

Les mots restèrent dans ma gorge. Elsa avait un drôle de regard fixe.

— C'est lui! confirma Hugues (qui se mouche tout le temps mais devrait se moucher encore plus souvent). Je l'ai vu!

— Venez avec moi tous les deux! ordonna M. Laron.

Elsa se mit à couiner et à hoqueter. Et tout en hoquetant et couinant, elle me lança un petit sourire réjoui.

Je fus soulagé… mais aussi terriblement inquiet. Si j'étais certain de passer un sale quart d'heure, je n'étais pas sûr du tout des intentions d'Elsa!

— Géraldine? appela M. Laron à l'entrée de la salle des maîtres. Un accident.

C'est ainsi que j'appris le prénom de Mlle Brèze. Je pensai: Mme Géraldine Valette… Pas mal!

— Julius Valette! s'exclama Géraldine Brèze,

ignorant qu'elle était en train de prononcer son futur état civil. Tu as vraiment blessé Elsa?

M. Laron se rapprocha d'elle. Tous deux s'accroupirent côte à côte, devant la blessée:

— Je vais remuer ton poignet, Elsa. Tu vas me dire si tu as…

— Maaal!…

— Mais je n'ai rien touché!

— Et ici? Est-ce que tu as…

— Maaaaaal!!….

— Il faut faire une radio.

— J'appelle l'ambulance scolaire.

— Julius, tu es privé de récré pour la journée!

M. Laron se redressa en fixant Mlle Brèze droit dans les yeux. Les perroquets de bois roucoulèrent quelques doux *vrou vrou* à son cou. Elle battit joliment des paupières et se détourna pour me parler:

— Je vais convoquer tes parents, Julius.

— Y a que mon père, bougonnai-je.

— J'en parlerai donc à ton père.

Les yeux d'Elsa se mirent à briller très fort.

— Bien fait! clama-t-elle bien haut. Ton père va venir voir la maîtresse!

Et je me dis que l'ange de ses fossettes s'appelait sûrement Lucifer.

Septième chapitre

Une journée sans récré, c'est une cave sans électricité. Mais une journée sans récré dans le bureau du directeur, c'est une cave sans électricité qui serait infestée de rats.

Notez que M. Rancy n'a pas une tête de rat, plutôt de fromage. Son crâne lisse transpire à la manière d'un gruyère ranci. Pour mériter son nom, j'imagine.

Notre directeur possède un signe très particulier : il rit tout le temps, spécialement quand il est en colère ; et plus il rit, plus il est en colère. Il me rappelle mon tee-shirt vert : plus je le lave, plus il paraît sale.

Quand je me présentai à son bureau, M. Rancy étouffait de rage. Pardon, de rire.

– Ah! Ah! Monsieur Valette! se désopilait-il. J'ignorais que tu étais une graine de tueur ah! ah!

Je l'ignorais aussi, mais je ne tenais guère à le faire exploser de rire (pardon, de fureur) en le contredisant.

– L'ambulance ah! ah! vient d'emmener ta petite camarade! gloussa-t-il sur le même ton que s'il m'avait annoncé: Elsa Taticheff prend des vacances au Pays de Jamais-Jamais. Tu resteras ici ah! ah! dans mon bureau, à faire des problèmes et des conjugaisons!

Je m'installai donc dans un coin, à la petite table réservée aux punis passés, présents et à venir. J'attaquai le premier problème pour oublier les miens:

Bébé prend 5 gouttes de vitamines dans son biberon, deux fois par jour.

En 20 jours, le flacon qui contenait 14 grammes de vitamines a été vidé.

Calcule en centigrammes la masse d'une goutte.

L'auteur du problème s'était-il déjà servi d'un compte-gouttes? Moi qui vous parle, je peux vous dire que lorsque je mets du collyre dans l'œil de papa, eh bien, il y a jamais une goutte pareille! Parfois, même, il y en a deux ou quatre qui tombent d'un coup.

Tout ça m'a fait penser à Hugues (qui se mouche tout le temps mais devrait se moucher encore plus souvent). La morve pend à ses narines comme l'eau à un robinet mal fermé. Est-ce qu'il avait une idée de la masse des gouttes qui lui remplissaient les sinus, Hugues?

Bébé prend 5 gouttes de vitamines dans son bib...

Papa Jean-Luc aurait-il un bébé avec son épouse future? Avec Géraldine? Ferait-il *vrou vrou vrou* (le bébé je veux dire) pour imiter les perroquets au cou de sa maman?

Non, je l'imaginais plutôt hurlant *pooouuiiin hiiêêêê gnâk gnâk* dans tout notre appartement, rien que pour embêter Jane de la Jungle au-dessus.

Ou il ferait *drrri... drrri... drrri...*

Je m'éveillai d'un bond!

J'étais toujours à la table des punis, dans le bu-

93

reau du directeur. Les vitamines m'avaient endormi, le téléphone m'avait réveillé. Et M. Rancy avait disparu !

J'étais seul. *Drrrii… drrri… drrri…*

Vite, je replongeai dans le biberon de Bébé, que le directeur puisse admirer mon ardeur au cas où il surgirait.

Il ne surgit pas. *Drrrri…. drrri…*

Est-ce l'habitude ? Un réflexe domestique remarquablement développé ? Mon goût de l'ordre ? Ou, bêtement, que cette sonnerie me cassait les oreilles ?

J'allai décrocher.

— Allô ? Le 25 36 77 80 ? demanda une voix de vieux monsieur.

— Euh… non, dis-je en vérifiant le numéro qui était inscrit sur le poste de M. Rancy. Ici c'est le 25 37…

— Vous êtes sûr ? Pourtant j'ai bien fait le 25 36…

— C'est un faux numéro. D'ailleurs, ici, on n'a pas le téléphone !

Après cette petite récréation, je jure, oh oui! que mon intention était de retourner à ma table de puni, prêt à calculer sincèrement la masse d'une demi-goutte ou d'un quart de vitamine, le diamètre du biberon ou la surface des couches-culottes.

Est-ce ma faute si mon regard tomba sur le Minitel?

Console ouverte. Allumé. Lorsqu'il avait quitté le bureau, M. Rancy avait dû être interrompu en pleine manœuvre.

3615 code JOLIMEUF... C'était facile, il n'y avait qu'à presser cette touche qui était là. Et puis celle-ci. Ensuite celle du haut...

Autour de moi, tout était silencieux. Le petit «c» à droite de l'écran clignait de l'œil dans ma direction. JOL...

... IM... Mes doigts pianotaient sans que je leur ordonne quoi que ce soit... EUF.

Alors, l'écran s'anima telle une ardoise magique. Un visage de femme s'y dessina en gris lumière : BONJOUR, JE SUIS JOLIMEUF, BIENVENUE!

Puis je vis : CHOISISSEZ VOTRE RUBRIQUE

— A : VOUS VOULEZ LIRE LES ANNONCES

— B : VOUS VOULEZ PASSER UNE ANNONCE

On faisait comment pour écrire une annonce ?

Le mieux était d'en lire des toutes faites, pour savoir.

A donc. Comme AAAttention, interdit ! Comme AAArrête tes conneries tu vas te faire pincer !

A comme : Allez-mais-vas-y-mais-de-quoi-t'as-peur ?

A donc !

Le visage de Jolimeuf se transforma en cœur, le cœur se transforma en boîte à lettres, la boîte à lettres en enveloppe et l'enveloppe redevint Jolimeuf avec ces mots :

Cette semaine

Les annonces de JOLIMEUF

Je tremblais. Si le directeur découvrait Julius Valette en conversation avec Jolimeuf, j'aurais droit à une sacrée rigolade ! Pardon, à une sacrée engueulade !

Ce serait pire qu'être une graine de tueur! Je serais… Je serais un de ces mots que les adultes se chuchotent quand ils croient les enfants absents, ou que les enfants se crient quand ils croient les adultes absents.

ANNONCE N° 1

Je n'en crus pas mes yeux.

CASTOR CHERCHE ALOUETTE

POUR MARIAGE FORESTIER.

Fichtre! Quel genre de bébé pourraient bien avoir un castor et une alouette? Un alou-tor? Un cast-ette? Un casse-tête pour petit frère ne me disait rien qui vaille. Suivante.

ANNONCE N° 2

SIRÈNE AU PIED MARIN

LANCE BOUTEILLE À LA MER POUR VOGUER

SUR LES FLOTS BLEUS DE LA VIE

À vous flanquer le mal de mer rien qu'à lire! Suivante.

ANNONCE N° 3

— Qu'est-ce que tu fabriques là? gronda une voix derrière moi.

Catastrophe!

M. Laron... Avec ses baskets de sport caoutchouc, on n'entend jamais le prof de gym quand il vous tombe dessus! Plus figé qu'une motte de beurre à son huitième jour de freezer, je fixai Jolimeuf qui me souriait sur l'écran, l'air de dire «ben, tu continues ou tu continues pas?»

— Euh... dis-je à Jolimeuf.

— Il est interdit aux élèves de se servir du Minitel, tu sais ça? continuait M. Laron.

— Euh... répétai-je à Jolimeuf, qui dut trouver que je manquais de conversation.

Dans un élan de survie, j'appuyai sur l'interrupteur.

Jolimeuf fit *plop!* et se retrouva citrouille. C'est-à-dire qu'elle disparut de l'écran, que le Minitel redevint Minitel.

Il était temps! M. Laron était à côté de moi.

— T'en fais une tête! dit-il. Tu débarques de la Lune ou quoi?

Je baissai les yeux, modeste, comme si en effet je venais de là.

Et ce n'était pas vraiment un mensonge...

Je revenais de loin!

*
* *

Bien entendu, la radio révéla que le bras d'Elsa était en parfait état. Mais quand elle revint du dispensaire, tout le monde l'entoura, la consola. Cécile lui demanda même comment elle pouvait être amoureuse de cette brute de Julius Valette, qu'on savait déjà qu'il cassait les pieds mais s'il attaquait les bras maintenant!

Pour le coup, c'est Julius Valette qui eut maaaal, et qui termina sa journée sinistre, peuplée de problèmes sinistres, dans le bureau sinistre d'un M. Rancynistre.

J'avais beau savoir que l'histoire d'Elsa c'était du faux, que c'était seulement pour arranger une rencontre entre Jean-Luc Valette et Géraldine future-Valette, j'étais très inquiet.

Je repensais à Mariette, à la marquise du maire, à la boulangerie dévastée… Il fallait que le plan d'Elsa soit impeccable, cette fois!

Lorsque la cloche sonna quatre heures et demie, je quittai le bureau du directeur et je courus chez moi sans attendre Elsa.

Parce que, quand même, je lui en voulais un peu!

*
* *

C'est à partir du deuxième qu'on entendait le bruit. Pas LE bruit habituel que je connaissais. Autre chose. Là, ça ne venait pas de l'étage au-dessus de chez nous.

C'était… CHEZ NOUS!

– Papa! C'est toi, ce boucan?

Mon père était assis devant la cheminée du salon. Sur une chaise, il avait retourné une marmite, une casserole, une poêle, et avec deux cuillers à soupe, il tapait dessus tel un tambour de régiment.

– Papa! hurlai-je pour couvrir le son.

Il s'arrêta, se tourna :

— Bonjour, fils ! et se remit à distribuer ses cuillerées à soupe de tapage, en chantant : *Trois jeunes marmites s'en revenaient de guêêêr-reuh !*

— Tu te sens bien, papa ?

À tue-tête, il martela :

— ELLE a fait du barouf tout l'après-midi ! ELLE m'a empêché de travailler ! ELLE a ce qu'elle mérite ! ELLE descendra s'expliquer !

— On t'entend du rez-de-chaussée !

— Le principal, c'est qu'elle m'entende ELLE !

Il empoigna poêle et marmite pour les fracasser l'une contre l'autre, en cymbales.

— Si tu veux en faire autant, tonitrua-t-il, il reste le faitout et la soupière ! *Trois jeunes marmites s'en revenaient de guêêêr-reuh...*

Au moment où j'allais me planter les deux index dans les oreilles, le téléphone rugit. À côté du charivari paternel, ça ressemblait à une voix de petite fille qui demande la parole dans un meeting politique ; une voix grêle, menue, que je faillis ne pas entendre.

— Stooop! Téléphone.

Papa fit le sourd. Je décrochai.

— Allô?! m'époumonai-je.

— Monsieur Valette? susurra une voix qui me parut familière. Monsieur Jean-Luc Valette?

— C'est ici.

(Cette voix…? Je la connaissais mais ne la reconnaissais pas.)

J'entendis une longue, une interminable respiration puis, sans prévenir, la voix se déchaîna:

— DANS DIX SECONDES, JE DIS BIEN DIX SECONDES, PAS ONZE, SI CE BRUIT INFERNAL N'A PAS CESSÉ, J'APPELLE LES GENDARMES!

Clic, on raccrocha.

Et, enfin, j'avais identifié la propriétaire de la voix!

— Qui c'était? s'enquit papa.

— La dame du dessus. Elle veut appeler la police.

— La police? Mais tant mieux! Ha! Ha! Je leur parlerai, moi, de son élevage d'éléphants et de singes!

Il repartait à tambouriner sur son orchestre culinaire quand… une nouvelle sonnerie retentit! Papa fit volte-face avec le rictus du chasseur qui repère le lapin dans les herbes.

— Laisse-moi lui répondre!

Il s'empara du téléphone et tempêta aussi sec:

— Allez donc, chère madame! Appelez la police! Et l'armée! Et le président de la République! Je suis ravi de…

Il s'interrompit. Sa figure changea de couleur. Ravi, disait-il? En cette seconde, papa Jean-Luc avait l'air tout, sauf ravi! Il bredouilla:

— M… mais ou… oui… De… demain? D'ac… cord.

Il raccrocha et me contempla sans un mot. Il avala sa salive, articula:

— C'était une Mlle Brèze. Elle dit qu'elle est l'institutrice remplaçante et qu'elle veut avoir un entretien à ton sujet.

Ils allaient donc se rencontrer… J'aurais dû sauter de joie, n'est-ce pas?

Désolé, je pouvais pas.

*
* *

Et voilà. J'y étais. Nous y étions.

Elsa, moi, papa Jean-Luc et Géraldine Brèze-très-prochainement-Valette, tous réunis dans le hall de l'école, devant la loge de M. Dautecourt, le concierge.

Il faut avouer que, sans le savoir, l'épouse future de mon père s'était habillée comme il fallait. Elle portait une autre minijupe (chocolat), un joli chemisier (vanille), et ses perroquets étaient toujours là, à se balancer *vrou vrou* quand elle bougeait le cou.

– C'est pourtant un bon petit, disait-elle à papa, avec l'air qu'on a quand on piétine l'orteil de quelqu'un.

Papa fronçait les lèvres, pinçait ses sourcils et contemplait très sévèrement ses chaussures. Oui, oui, semblait-il dire, c'est un bon petit, mais?

– Mais, reprenait Géraldine Brèze en essayant de capter le regard de celui qui était son époux futur, il s'est passé une chose terrible hier...

Et patati et patata.

Soudain, je n'écoutai plus. Je fus complètement hypnotisé. Mon cœur battit le carillon de Notre-Dame.

Au-dessus des *vrou vrou* en bois, la figure de Mlle Brèze, que j'observais intensément depuis le début et qui ne montrait rien de spécial jusque-là, la figure de Mlle Brèze, donc, était en train de devenir ROSE !

D'un rose, mais d'un rose... Une lampe s'était allumée à l'intérieur de ses joues et embrasait son front, ses pommettes, son menton, son cou – les perroquets même ! – d'une délicieuse et transparente rougeur.

— Vous... vous comprenez... il... bégaya-t-elle en triturant, et *vrou* et *vrou* et *vrou,* son collier d'un doigt nerveux. C'est-à-dire... Julius a... enfin...

Papa ne pouvait rien remarquer, parce qu'il ne la regardait toujours pas. Il continuait de pencher, très sévèrement et très pensivement, la tête.

Mais j'eus droit à un coup fulgurant du coude « malade » d'Elsa :

— Bingo ! me souffla-t-elle.

— Que dis-tu, Elsa ? demanda Mlle Brèze, sou-
lagée d'avoir un prétexte pour se tourner.

— Je disais que Julius a pas fait exprès de me
casser presque le bras.

— Oui… sans doute…

Et voilà que la future épouse de mon père regarde vers mon père et se remet à rosir de plus
belle ! Et plus belle, vraiment oui, elle le devenait !
Ses yeux violets s'élargissaient, ses lèvres s'arron-
dissaient, son nez frémissait…

Ce sont les cahiers qui m'ont mis la puce à
l'oreille. L'instant où Mlle Brèze fit tomber son paquet de cahiers.

Jusqu'ici, elle les avait tenus serrés dans un bras,
contre elle, mais elle était si perturbée que le bras
lâcha Mlle Brèze, et Mlle Brèze lâcha les cahiers.

Poliment, mon père s'agenouilla pour les ra-
masser. Mlle Brèze, elle, resta debout, raide. Ses
yeux continuaient de fixer, droit devant, l'endroit
précis que papa venait de quitter pour s'age-
nouiller.

J'ai regardé aussi.

Et je n'ai plus souri.

Là-bas, derrière papa qui ramassait, il y avait la loge de M. Dautecourt. Dans la loge, il y avait quelqu'un.

M. Laron.

M. Laron, qui ne me voyait pas, trop occupé à faire des sourires. Des sourires, des sourires, plein de sourires à... Mlle Brèze !

Voilà ce qui la troublait, qui la rendait toute rose !

— Merci, murmura-t-elle lorsque papa se redressa avec les cahiers.

Je me tournai vers Elsa. Elle aussi avait compris et, dans son regard déçu, je vis un silence.

Du silence, il y en avait maintenant partout autour de nous. Jusqu'aux perroquets qui avaient arrêté de faire *vrou vrou*.

Je me souviens avoir pensé : dommage pour toi, Mlle Brèze. Géraldine Valette, ç'aurait été vachement plus joli que Géraldine Laron !

Huitième chapitre

Avec Elsa, chez moi.

— Ça prouve au moins quelque chose!

— Quoi? dis-je.

— Que j'ai raison. Joues roses égale amour.

— Parce que t'en étais pas sûre?

— On n'est famais fûr de rien, comme dit Tatie!

Juste avant de me quitter, à la porte, Elsa se pencha vers moi et, très vite, sans avertir, elle m'embrassa sur la bouche. Instantanément, ma tête devint toute chaude.

— Rose! s'exclama-t-elle comme un rugby-man crie «essai!» le doigt pointé sur mes joues. C'était juste pour vérifier!

Et elle courait déjà dans l'escalier.

— Hé! m'appela-t-elle soudain.

Je me penchai par-dessus la rampe. Son visage galopait dans les ronds de la cage d'escalier.

— J'ai un autre plan! dit-elle. Une superidée! Mais je vais réfléchir d'abord.

Je refermai la porte, mi-heureux mi-furieux. Elle m'avait vu rosir… mais ne m'avait pas laissé le temps de voir ses joues à elle!

Cette fille est insupportable.

Je partis installer la table à repasser et le sac de linge propre dans un coin du salon.

C'est mon secret à moi. Nerveux? Excité? Agité? Allez hop, repassage! Défripez des chemises, vous vous défriperez l'esprit! Aplatissez une paire de draps, vous aplanirez vos soucis! Rangez le tout dans l'armoire, avec vos idées noires!

Au bout d'un petit moment, papa surgit.

— Tu n'ouvres pas? demanda-t-il. On a sonné.

Quand je vous dis! Repasser, ça fait tout disparaître… même les sonnettes de porte. Et, ma foi, en ce moment un visiteur carillonnait bel et bien à la nôtre!

Papa contourna la table avec ma pile de linge pour aller répondre.

D'où j'étais, on voyait tout. Mais quand la porte s'ouvrit, je ne vis rien. Il faisait nuit sur le palier.

— Y a quelqu'un? demanda papa à la nuit.

La lumière arriva subitement et, avec elle, un sourire. Un sourire stupéfiant, beau, clair, rose et blanc.

— Excusez-moi, dit le sourire, je rallumais la minuterie. Je vous dérange?

— N... non, murmura la voix de papa.

— C'est à propos de notre petit problème.

— Ou... i? murmura la voix de papa.

— Je peux entrer?

— Ou... i.

Et le sourire entra chez nous.

Il appartenait à une dame. Durant une seconde, je crus qu'on avait affaire à une martienne: sa tête était hérissée de petites antennes qui vibraient dans tous les sens

— Je ne vous dérange pas, sûr sûr?

— Sûr sûr, oui oui... non non! murmura papa.

Ce bredouillis manquant de clarté, il précisa:

— Non non, vous ne nous dérangez pas.

La dame avança dans le salon. Je pus alors identifier les antennes. C'était, en fait, une multitude de petites tresses brunes qui lui dansaient sur le crâne comme un bouquet sur un pique-fleurs.

Elle était jeune, portait un pull-over et un jean blancs. Mais, surtout, on découvrit ses yeux, ses yeux aussi vifs, aussi stupéfiants que son sourire et je compris soudain pourquoi ils étaient si beaux, pourquoi ils brillaient tant: la dame tout en blanc avait la peau noire.

— J'ai parlé à la voisine, dit-elle. Je suis vraiment désolée.

La voix de papa ne murmurait plus rien. Mettez-vous à sa place: une dame avec des antennes, des yeux et un sourire célestes débarque chez vous pour annoncer qu'elle est désolée d'avoir parlé à la voisine... Perturbant non?

Il se racla la gorge.

— Euh... dit-il. Euh.

Signe qu'il était pensif.

— Oh, mais! s'écria-t-elle en posant joliment l'index sur un coin de son sourire. Suis-je bête! Je ne me suis pas présentée. Dominique Laventure... La locataire du dessus!

Je lâchai illico mon fer à repasser. La locataire du dessus? Celle qui nous faisait Barnum et «Horizons lointains» tous les soirs? Houlà, je ne voulais pas rater le duel!

Je rejoignis papa d'un bond.

Déception. Papa Jean-Luc était aussi menaçant qu'un chaton de cinq jours et montrait autant d'ardeur qu'une boîte de Whiskas.

— Euh... dit-il, pour prouver qu'il avait quand même plus de repartie qu'un chaton et qu'une boîte de pâtée réunis.

Ce qui déclencha un fou rire chez la dame. Et ce fut quelque chose de vraiment magnifique, cette gaieté qui pétilla à travers tout le salon comme la poudre magique de la fée Clochette!

Du moins, c'était mon avis.

Ce ne fut pas celui de mon père. Que se passa-t-il? Croyait-il qu'elle se moquait de lui? Qu'elle le narguait?

Je vis le teint de papa Jean-Luc passer du vert à l'orange, ses cheveux enflèrent, son regard devint le regard du tigre qui va croquer la gazelle naïve.

Il sourit.. Ce fut terrifiant.

— Ha... La voisine du dessus? Ha, ha, ha...

Et sa fureur explosa. D'un coup! Comme un tonneau trop plein.

— C'est donc vous qui empêchez les honnêtes citoyens de travailler et de dormir? Vous qui refusez d'ouvrir quand on frappe à votre porte? Vous!

La dame en resta comme deux ronds de clafoutis.

— Mais je n'ai jamais refusé d'ouvrir ma..

— Ah non? coupa mon père d'une voix fracassante. Comment appelez-vous ça alors? Et quand vous conseillez aux gens de prendre des vacances à l'asile? HEIN!

— Vous aviez commencé...

— Môa? J'ai commencé, Môa?! Et les bestiaux? Le tam-tam? Les fusils? C'est aussi Môa?

Terminator pulvérisant un gratte-ciel new-yorkais en l'an 3020 ou Prince Valiant chargeant le pont-levis du roi Félon en l'an 1154 n'avaient pas l'air plus féroces que papa Jean-Luc postillonnant au nez de la voisine en cette année où je vous parle.

— Mais c'est fini! tonitruait-il. FI-NI! Au prochain bruit… Un cheveu, un timbre, une plume qui tombe et j'alerte la brigade anti-bruit! Le Grand Conseil acoustique! La Sécurité sociale! Le ministre de la Qualité de la vie!

Les tresses de la dame oscillèrent d'indignation. Ses yeux jetèrent des éclairs.

— Je vois! s'écria-t-elle. Moi qui venais pour m'excuser! Pour expliquer que je ne savais pas combien je vous gênais parce que… Oh, et puis peu importe! Vous êtes un malotru, monsieur!

— Et vous une sans-gêne!

— Un butor!

— Une idiote!

— Mufle !

— Brise-tympans !

— Casse-pieds !

— Cerveau mou !

On aurait cru une partie de marabout-bout de ficelle. Mais ils ne jouaient pas ! Ils allaient s'étriper !

La dame abandonna le combat la première. Dans un silence d'orage, elle fit demi-tour. À la porte, elle lança d'une voix tremblante :

— Vous ne m'empêcherez pas de faire mon travail !

— Vous ne m'empêcherez pas de faire le mien !

Et sur ces positions remarquablement identiques mais contraires, papa claqua la porte sur la dame et disparut dans son bureau sans un mot.

Avec un soupir, je me mis à ranger le matériel de repassage, pliai le linge dans la commode et partis m'enfermer dans la cuisine.

C'est mon autre secret. Inquiet ? Contrarié ? Tracassé ? Fais une tarte ! Malaxe la pâte, ça relaxe ! La pâte qui roule, ça défoule !

Papa Jean-Luc adore la tarte Tatin. J'espérais que ça lui rendrait sa bonne humeur.

Pendant que ça cuisait, je relus *Terry et les pirates* dans le canapé du salon. De temps en temps, je relevais la tête en direction du plafond et je priais pour que la dame du dessus ne fasse tomber ni timbre, ni plume, ni même un soupir! Papa Jean-Luc aurait été capable du pire!

Heureusement, la voisine demeura muette et tranquille. Irréprochable. La seule chose qui tomba chez nous, ce soir-là, fut un profond, un pesant silence.

* * *

J'avais dû un peu forcer sur le caramel. La tarte avait trop bruni sur les bords. Avec un couteau, je raclai la couche du dessus, disposai mon œuvre sur une belle assiette jaune et, mon torchon plié sur le bras style maître d'hôtel, je frappai à la porte du bureau.

Pas de réponse. J'entrai.

Papa ne travaillait pas. Il était assis devant l'ordinateur. L'écran était éteint.

ÉTEINT. La seule activité de mon père était de surveiller ses pieds comme s'il craignait qu'ils partent en voyage sans lui.

— Ça ne va pas? demandai-je, un peu inquiet.

— Mmmh?… Oh, c'est toi? Si, si, je vais très bien.

— Tu penses encore à la voisine, hein?

Il me jeta un rapide coup d'œil. Sa bouche s'ouvrit, parut vouloir dire quelque chose. Il ne dit rien.

— Elle t'a énervé, continuai-je. Mais c'est mieux comme ça. Elle n'ose plus faire de bruit maintenant!

Il se remit à observer ses pieds. Lugubre.

— Je t'ai fait une tatin, dis-je.

— C'est gentil. Merci Julius.

Julius? De plus en plus alarmant! Je lui ai présenté ma tarte.

— Comment tu la trouves?

— Jolie, murmura-t-il, toujours absorbé par ses pieds. Vraiment ravissante. Je ne l'imaginais pas comme ça.

Il avait donc deviné pour la tarte ? Je ris, pour cacher que j'étais content qu'elle lui plaise même un peu cramée.

— Elle aurait pu être mieux, dis-je modestement. Elle a trop pris le soleil, si tu veux mon avis. Mais ça ne l'empêche pas d'être présentable !

Qu'avais-je dit ? Franchement, qu'est-ce qu'il y avait de mal ? Papa se redressa d'un bond et m'agrippa aux épaules, l'œil froncé de colère.

— Que dis-tu ? gronda-t-il. Julius ! Qu'est-ce que tu viens de dire ?

Pas net, papa Jean-Luc, ce soir !

— Ben, qu'est-ce qui te prend ? criai-je. Ça peut arriver de brûler un gâteau, non ? Pas de quoi en faire un bouillon !

Non, vraiment il n'était pas net... Aussi soudainement qu'il s'était mis en colère, son visage s'éclaira. Papa me prit par les fesses, nous soulevant en l'air, moi et la tarte, dans un grand rire joyeux !

— Bon sang, oui ! rugit-il. La tarte, bien sûr !

Il posa les yeux sur elle (la tarte, enfin !) :

— C'est vrai qu'elle a drôlement pris le soleil! constata-t-il avec un large sourire.

Il me serra très fort et (pas net, je vous dis!) me couvrit de baisers. Mon bras dut faire l'acrobate pour garder l'assiette à l'horizontale.

— Fils? Je suis un âne! N'est-ce pas que je suis un âne?

Et croyez-le ou non... Jean-Luc Valette, scientifique des étoiles, ingénieur de génie, chercheur des galaxies, savant des télécommunications, bref Jean-Luc Valette, mon papa à moi, se mit à secouer la tête d'arrière en avant et à pousser des hi! han! d'âne de ferme dans tout l'appartement!

— Chhhut! soufflai-je. La voisine va croire que sa ménagerie a changé d'étage! On va la voir débarquer!

Papa me reposa sur le sol. Il fourra les mains dans ses poches. Avec un léger sourire, il murmura:

— Qu'elle vienne!

*
* *

Avec Elsa, à l'école.

— Et elle était comment cette voisine ?

— Super. T'aurais vu le sourire ! Plus beau que Géraldine ! (Depuis la « trahison » de la maîtresse remplaçante, j'étais impitoyable !) Mais c'est la haine entre mon père et elle !

J'ajoutai :

— Dans un sens, c'est plus simple... On n'aurait jamais pu savoir si ses joues devenaient roses.

— Pourquoi ?

— Les siennes, elles sont déjà en couleur !

*
* *

Avec Elsa, chez elle.

— Bon alors, ta superidée... ?

— C'est trop tôt. Je réfléchis, je te dis.

— Tu veux pas me dire un peu ?

— Ttt ! Ttt !

Cette fille est insupportable.

*
* *

Avec Elsa, chez elle (suite).

— T'as pas vu s'il lui plaisait?

— Qui?

— Ton père! Quand il était avec la voisine.

— Tu rêves. Ils ont pas arrêté de s'engueuler!

— Même pas un geste? Un mot?

— Il lui a dit «casse-pieds», elle lui a dit «cerveau mou».

Elsa soupira.

— Dommage. Ça nous aurait évité d'en chercher une autre.

— Tu avais une superidée, t'as oublié?

— Je me demande si…

— Oh mais, il ne faut pas renonfer fi fite! fit la voix de Tatie du fond de son fauteuil à bascule qui ne basculait plus.

Depuis le début qu'on parlait, moi et Elsa, dans le salon Taticheff, elle souriait, la Tatie! Pas à nous… mais au beau *Chevalier du vent,* un roman d'amour qu'elle avalait comme l'éclair… au chocolat.

On n'imaginait pas qu'elle était en train de nous écouter!

Tatie plissa le nez, réajusta ses lunettes et dit :

— Foyons, foyons... Ah, page trente-finq! Écoutez-moi fa...

(...) Antonia Saint-Serre bondit de colère. Les yeux étincelants, elle leva le bras et gifla violemment Hubert Thébaut.

— Je vous hais ! dit-elle tremblante d'indignation.

Les états d'âme d'Antonia Saint-Serre ne troublèrent aucunement Tatie qui releva paisiblement le nez puis les lunettes sur son nez. Feuilletant son livre, elle s'écria :

— Ah, foilà! Page fent finquante-fept maintenant! F'est à la fin du roman. Écoutez...

Antonia Saint-Serre bondit de joie. Les yeux étincelants, elle leva les bras et embrassa passionnément Hubert Thébaut.

— Je vous aime ! dit-elle, tremblante de bonheur.

Tatie releva le nez derechef :

— Fous foyez ce que je feux dire? D'abord,

elle lui donne une fifle, après elle l'embraffe paffionnément. F'est fa l'amour, des fois!

On était complètement abasourdis.

— Tatie! s'exclama Elsa. Mais… tu parles normalement quand tu lis!

Tatie Taticheff fronça les sourcil, ses lunettes retombèrent sur ses narines.

— Mais fe parle toufours normalement! protesta-t-elle. F'est fous qui m'entendez mal.

*
*　*

Avec Elsa, dans la rue.

— Mais ta superidée? C'est quoi, à la fin?

Elsa s'arrêta de marcher, regarda aux quatre coins de la rue, avec la mine soupçonneuse de l'agent 007 qui va confier le Secret du bonheur à l'agent X27.

— Au dispensaire… murmura-t-elle. Tu sais, pour ma radio?

— Ben?

Re-regard soupçonneux.

– L'infirmière! lâcha-t-elle dans un souffle. Elle était ca-non!!

– Ça me plaît pas, une infirmière. C'est comme les docteurs.

– Attends... Celle-là, elle portait des talons aiguilles!

– Pour les piqûres?

Elsa me tourna le dos en grognant: «Imbécile!»

– Hé, mais non, dis! criai-je. Attends!

Elle ne demandait que ça.

– C'est une supercherie, dit-elle.

– L'infirmière?

Quand j'eus compris que la superchérie de la superidée était une supercherie, Elsa en était à la moitié de son récit.

Et là, mes cheveux se sont dressés sur ma tête!

Neuvième chapitre

À 17 heures, on se retrouva tous les deux chez moi afin de fignoler le « crime ».

La porte était ouverte, la clef de papa était sur la table, mais papa n'était nulle part.

— Il a dû sortir faire une course, supposa Elsa.

— Faire des courses ? Papa ?

C'était complètement impossible. Même ses disquettes, c'est moi qui les achète. Et puis, il ne serait pas sorti, sans prévenir, à l'heure où son fils adoré rentre de l'école.

— En tout cas, il n'a pas dû aller loin puisqu'il a laissé ses clefs. Bon… et notre crime ? ajouta Elsa pour montrer qu'il n'y avait pas de quoi en faire une encyclopédie.

L'air décidé, elle lança son cartable à côté du mien.

— Si on *lui* donnait un bon coup de couteau? suggéra-t-elle.

— Y aura plein de sang! protestai-je Et après, *il* sera mort, je pourrai plus m'en servir.

— On peut *l'*écrabouiller? dit-elle en regardant à la ronde. Avec ce presse-papiers, tiens?

— C'est du verre. Si ça se casse…

— On *le* flambe comme une crêpe alors? Une belle grosse brûlure sur le gaz par exemple?

— Ça fait trop mal. On voit bien que c'est pas toi la victime! Et, d'abord, on ne fait jamais de radio pour une brûlure.

— Un coup de marteau?… Bang, et c'est fini!

— Non. On va faire un courant d'air.

Coup d'œil oblique d'Elsa.

— Je mets ma main dans la porte, expliquai-je. On la fait claquer un bon coup et…

— … plus besoin de marteau ni de presse-papiers! Génial.

La superidée d'Elsa, c'était que je me blesse un

doigt. Conclusion: il faudrait que je passe une radio. Conclusion: papa m'emmènerait au dispensaire. Conclusion: il verrait l'infirmière canon.

Conclusion: à suivre.

Je choisis la porte qui sépare le salon de la cuisine. C'était la mieux exposée question courants d'air à cause des quatre fenêtres face à face.

Elsa partit ouvrir celles du salon pendant que je m'occupais de la cuisine.

— Le mieux, dit-elle ce serait la main entière. Ça ferait plus accident.

— Je peux mettre le cou pendant qu'on y est?

Elle eut un petit sourire:

— Quelle main? Quel doigt?

J'observai mes mains. La gauche? La droite? Avec la gauche je ferais d'une pierre deux coups, puisque je suis gaucher. Plus d'écriture à l'école. Plus de contrôles. Plus de...

Oui. Mais allez donc tourner une mayonnaise avec la main droite quand vous êtes gaucher! Ça voulait dire: plus de sandwichs endives-mayonnaise (mes préférés) pendant un bon bout de temps ! Et ça, c'était insoutenable.

— La droite, décidai-je.

Le doigt… Devais-je me raccourcir le pouce ? l'auriculaire ? l'index ?

— Avec la main entière, t'aurais pas à réfléchir ! lança Elsa avec une mine gourmande de chirurgien au bloc opératoire.

J'optai pour l'annulaire, le doigt des bagues. D'ici à ce qu'on échange nos alliances de mariage avec Elsa, il aurait le temps de se refaire une santé.

Enfin, il fallut se mettre en position, devant la ligne de mire.

Les battants étaient ouverts en grand. Le vent soulevait les rideaux. Elsa retenait la porte, prête à la lâcher le moment venu.

Lentement, j'avançai mon doigt vers la porte…

J'aurais aimé me boucher les oreilles. Ne pas m'entendre crier… Hélas ! j'avais deux oreilles et une main déjà bien occupée.

— Prêt ? 1… 2…

— Stooop! hurlai-je.

— Quoi?

— Y a pas un autre moyen?

Elsa leva les yeux au ciel.

— C'est ton idée. De toute façon, ça DOIT faire mal.

Et, avec une grimace ironique:

— T'as peur? demanda-t-elle.

— Non, assurai-je, sentant ma nuque se mouiller de sueur. Mais…

— Alors on y va!

Je fermai les yeux. Le courant d'air remuait mes cheveux.

— 1… 2…

À «3», *blam!* la porte claqua.

À «3 et demi», *waouuuh*…

Un cri inhumain traversa l'air telle une sirène de détresse.

Tout ce que je peux dire, c'est que ce cri, je ne l'avais pas poussé… Car, à «2», j'avais lâchement retiré ma main!

Elsa écarquilla des yeux de chouette stupéfaite

vers moi; et moi, des yeux de hibou soulagé vers mon doigt miraculé.

— Qui a crié?

— Je… sais pas, dis-je, le cœur battant.

À ce moment, on entendit des coups sourds.

— Ouvrez! gémit une voix. Oouvreeeez! Papa Jean-Luc!

D'un bond, on se rua dans l'entrée.

Dorénavant, quand papa m'affirmera qu'il ne sait pas danser, je lui rappellerai qu'un jour, IL A SU DANSER! Et avec un bouquet de roses à la main encore!

Ce jour-là sur le palier, après qu'on eut délivré sa main sévèrement ratatinée par le choc de la porte, papa nous fit la plus éblouissante démonstration de danse sioux, rock, claquettes… Et même de rap sur un coin de la rampe!

C'était d'autant plus beau qu'il faisait tout ça en hurlant: *Aïïï… Waooouu…*

Et toujours avec le bouquet de roses qu'il tenait héroïquement dans son autre main, celle qui n'était pas aplatie.

— QUI a claqué… *Aïïï…* cette porte?

Nous, on était bien trop admiratifs pour lui répondre!

— QUI?? *Gnââââ…Ooouuh…* QUI?

Et le voilà reparti pour la danse des mille et une douleurs! (appelée danse de Saint-Guy dans nos pays), à faire des grimaces de fou, à secouer sa main écrasée en tous sens, à souffler dessus en faisant *ouch! ouch! ouch!*

Ce numéro s'acheva bien trop vite! À cabrioler sur un seul pied, papa Jean-Luc rata soudain la belle pirouette prévue. Sa chaussure dérapa sur la première marche. Il s'envola dans l'escalier.

Il le descendit sur toutes les parties du corps, excepté la plante des pieds. Et s'il en perdit ses lunettes, pas une minute il ne lâcha son bouquet!

Ce fut magnifique!

Nous, on écarquillait des yeux éblouis.

Une porte s'ouvrit à l'étage du haut. Une voix interrogea:

— Qu'est-ce que c'est, tout ce bruit?

Un long silence plana dans la cage d'escalier. Puis mon père geignit:

— Quand vous aurez fini de poser des questions idiotes!

C'était la voisine du dessus.

Elle descendit jusqu'à notre étage, en jogging et en ballerines, ses petites nattes noires sautillant à chaque pas.

À la vue de mon père écroulé au bas des marches, elle s'arrêta.

— Vous vous êtes fait mal? demanda-t-elle mi-anxieuse, mi-rieuse. Que s'est-il passé?

Avant qu'on puisse répondre, elle était déjà en bas, près de lui. On l'a suivie.

— Ma main… gémit papa.

Il s'était relevé, époussetant son pantalon, soufflant sur ses verres de lunettes. Sa main enflait à l'allure d'un pneu branché sur une pompe à air.

— Il faut mettre des glaçons!

Papa nous fusilla du regard, Elsa et moi.

— Vous… commença-t-il, menaçant.

— Appuyez-vous sur mon bras, offrit genti-
ment la voisine.

Elle nous fit un sourire qui sembla dire : « C'est
normal quand on a reçu une porte sur les doigts,
mais ça va lui passer. »

— Merci, lui dit papa.

À les voir, on n'aurait jamais pensé que deux
jours avant ils se traitaient de tous les noms !

Papa tortillait son bouquet, ne sachant s'il devait rentrer ou rester planté sur le palier. Elle gar-
dait les mains dans les poches de son jogging, l'air
de ne pas savoir quoi dire à ce type qu'elle avait
appelé un jour « cerveau mou ».

— Des glaçons ! répéta-t-elle. Mettez-en dans
un saladier et plongez la main dedans. Ça soulage.

Elsa trouva le moyen de me chuchoter :

— C'est super, non ?

— Quoi ? marmonnai-je.

— C'est lui qui va aller passer une radio. Il la
verra quand même, l'infirmiè…

Un claquement brutal l'interrompit, qui
ébranla le palier, nous faisant tous sursauter.

Le courant d'air venait de refermer notre porte !

— Julius… ta clef, dit papa en soufflant sur sa main écrabouillée.

Je sentis un fourmillement désagréable dans mes oreilles.

— Ma clef ? répétai-je, idiot. Ma… clef ?

Ma clef était restée à l'intérieur. Avec celle de papa.

*
* *

L'appartement de Dominique Laventure aurait ressemblé au nôtre si la prévoyante Cigogne n'avait donné à papa Jean-Luc un fils amoureux de l'ordre.

— Excusez, dit-elle en nous faisant tous entrer. C'est un peu désordre.

Un peu ? Le bazar, oui ! On aurait dit l'intérieur du cartable d'Elsa… Les objets qui auraient dû être ensemble se trouvaient avec des objets qui n'auraient pas dû y être.

Par exemple, il y avait des livres partout (sur les chaises, sur les abat-jour, sous vos pieds, etc.), partout, partout, sauf… dans la bibliothèque!

Sur le couvercle d'un piano s'entassaient des sacs de riz, des paquets de haricots et de maïs secs, ainsi qu'une passoire. Par la porte de la cuisine on pouvait admirer une famille de saxophones suspendue aux étagères à casseroles…

Mon sens de l'ordre ne fit qu'un tour. Après tout, Dominique Laventure nous avait charitablement invités à attendre chez elle l'arrivée du serrurier, je n'allais pas faire le dédaigneux!

— Je m'occupe de la glace, dit-elle. Asseyez-vous sur le canapé ou les chaises!

Appelait-elle «canapé» cet immeuble à trois étages de caisses et de boîtes? Et «chaises» ces momies aux bras débordants de machins inhospitaliers?

Étrangement, ce fut bien dans la cuisine qu'elle partit chercher les glaçons. Mais que pouvait contenir son réfrigérateur? Un lampadaire peut-être bien? Ou un château du XVIIᵉ et son jardin anglais?

— Est-ce que la bouilloire est de votre côté? demanda-t-elle.

Si une bouilloire arrivait à y retrouver ses bulles!

— Je l'ai! annonça-t-elle aussitôt.

Papa, Elsa et moi, on avait fini par se trouver des bouts de place, qui sur un accoudoir, qui sur une pile de livres, qui sur un radiateur.

Papa regardait fixement son bouquet. C'est là que je me suis demandé: pourquoi a-t-il acheté ces roses? Mais Dominique revenait déjà, avec un bol de glace, une bouteille et des verres.

— Du punch de mon pays! dit-elle. Maman le fabrique elle-même et me l'envoie par avion. Goûtez, ça remet d'aplomb.

Tandis qu'elle prenait la main de papa pour la plonger dans les glaçons, j'observais cette voisine pas ordinaire. Sous la lampe, ses joues brunes brillaient comme le sucre des marrons glacés à Noël. D'un geste, elle rejeta ses tresses sur le côté et son sourire blanc et rose me fit penser à une fleur. À une des roses du bouquet de papa.

Pour qui avait-il acheté ce bouquet ?

— Ça fait mal ? demanda-t-elle.

— N... non, murmura la voix de papa.

— Il faudra voir le médecin.

— Ou... i, murmura la voix de papa.

— Peut-être même faire une radio !

— Ou... i.

— Je peux vous faire un pansement, si vous voulez ?

— Ou... i, oh, non ! Merci.

Je lançai un regard à Elsa. Elle aussi les observait tous les deux. Et je me demandai ce qu'elle pensait de tout ça.

— Si ! Si ! Je vais faire un pansement ! décida Dominique.

Elle se tapota le bout du nez avec le bout du doigt.

— Voyons ? Où est le sparadrap ? Ah !... Je m'en suis servi pour le zèbre ! C'est sûrement là-bas.

Elle se dirigea vers une porte fermée de l'autre côté du salon et ajouta en riant :

— Dans ma pièce secrète !

Elle disparut par la porte.

Le zèbre ? Le sparadrap du zèbre ? Une pièce secrète ?

Cachait-elle des bêtes sauvages là-dedans ?

Elle avait laissé le battant entrouvert, mais, de ma place, impossible de voir l'intérieur !

On l'entendit farfouiller dans la « pièce secrète ».

— Est-ce que quelqu'un peut venir m'aider ? appela-t-elle.

Tout le monde se redressa en même temps. Tout le monde mourait d'envie de voir le zèbre de la pièce secrète !

Papa était devant, Elsa et moi, derrière.

On stoppa tous les trois sur le seuil, un peu intimidés mais frémissants de curiosité.

Dixième chapitre

Pas de zèbre, pas d'éléphant, pas de singe...

Rien qu'une grande table en acier, des boutons qui clignotaient, une drôle de télévision avec une bobine de film qui défilait devant des haut-parleurs, et puis des fils, des câbles, des micros.

— Entrez! Entrez! invita-t-elle en tirant un gigantesque magnétophone qui masquait la cheminée. Le sparadrap doit être là.

— Qu'est-ce que c'est? fit Elsa en ouvrant des yeux d'Ali Baba sur cette stupéfiante caverne électronique.

— Mon lieu de travail. C'est ici que j'enregistre.

— Enregistre? répéta papa.

— Vous êtes chanteuse? dis-je.

— Non. Bruiteuse. Je fais du bruit.

Sa bouche s'épanouit en fleur et en rire, rose et blanche.

— Hélas pour vos oreilles! Hein, monsieur Valette?

— C'est quoi bruiteuse? demanda Elsa.

— Eh bien, quand on tourne un film, on n'enregistre pas forcément les bruits réels. On les refabrique en studio. Ici, c'est mon studio.

Elle glissa un sourire à papa.

— Quand je me suis installée, j'ai isolé les murs, j'ai insonorisé cette pièce pour...

— Inso... quoi? dis-je.

— On a recouvert les murs, le sol et le plafond d'un matériau spécial qui empêche le bruit de traverser. Ça isole. Je ne voulais pas... gêner mes voisins.

Elle se mit à rire. Et papa se mit à rire. Et Elsa. Et moi.

— Voilà pourquoi vous n'entendiez rien! s'écria papa. Vous êtes tellement «isolée» que j'aurais pu tambouriner deux cents ans à votre porte!

Dominique fit un effort pour avoir l'air confus:

— Seulement… on n'a pas pensé à boucher la cheminée! avoua-t-elle.

Elle essaya de garder son sérieux. Mais elle pouffa et tout le monde l'imita. Puis elle expliqua:

— En ce moment, j'essaie de fabriquer des sons pour un film d'aventures qui se passe en Afrique.

— Les éléphants! s'écria papa.

— Les singes! dis-je.

— Les hyènes! fit Elsa.

Et on est tous repartis à rire.

— Vous voulez que je vous montre quelque chose? dit-elle soudain, les yeux étincelants. Julius! Va me chercher la passoire et le riz sur le piano. Et toi, Elsa, prends la boîte de crayons qui est… je ne sais plus où elle est, mais sûrement pas loin!

On a obéi sur-le-champ. Dominique partit chercher un saxophone dans la cuisine, ainsi qu'un ballon gonflé (lui, je ne sais pas d'où il avait surgi).

Quand tout cela fut apporté dans la pièce secrète, Dominique manipula des fils, brancha des prises, actionna des boutons, installa des micros. Elle alluma la petite télé.

Tout le monde regarda le film défiler. Il n'y avait aucun son, aucun bruit. Les images étaient muettes. On voyait la savane africaine. Il y avait un incendie. Des animaux couraient pour échapper au feu. Puis les animaux arrivaient à une rivière qui les protégeait. Dominique arrêta brusquement le film.

— Maintenant, prévint-elle, j'enregistre ceci…

Devant le micro, elle fit lentement couler les grains de riz dans la passoire *Crrrr frrrrrr*…

Ensuite, elle cassa les crayons de bois en petits morceaux, *scratchh scratchh scratchh,* toujours devant le micro.

Puis elle souffla un grand coup dans le saxophone. (Un drôle de bruit qui me rappela quelque chose!)

Enfin, elle remit le film au début et… ce n'était plus un film muet! Le son de la savane était là! Le feu! Les bêtes qui galopaient! La rivière qui coulait!

Le riz qui bruissait dans la passoire était deve-nu le pétillement des flammes dans les herbes, les crayons brisés étaient les craquements des brous-sailles, le coup de saxo était le barrissement d'un éléphant en fuite!

De la féerie!

— Le micro amplifie les bruits, expliqua Do-minique. Si je le gratte avec mon ongle, ça peut devenir un grondement de tonnerre!

Avec un petit sourire, elle s'empara du ballon gonflé, le piqua d'une aiguille : *pan!*

— Voilà le mystère des coups de fusil éclairci! rit-elle.

Avec Mme Manchon, en classe, on avait fabri-qué des maracas en enfermant des lentilles dans des pots de yaourts. Moi aussi, j'avais donc été bruiteur!

— Mais... le sparadrap du zèbre? questionna Elsa.

— As-tu déjà écouté le cri du sparadrap qu'on arrache du rouleau? Eh bien, un zèbre qui croque des feuilles de baobab, ça fait à peu près le même bruit.

Nous regardions, bouches bées, cette locataire extraordinaire. Papa en oubliait de surgeler sa main!

— Ce ne sont que des essais, conclut Dominique Laventure. En réalité, j'enregistre dans un vrai studio, beaucoup plus perfectionné.

— Je vous promets, s'écria papa dans un élan du cœur, je vous promets de ne plus vous déranger.

— Oh non! protesta-t-elle. C'est moi qui vous le promets! Un maçon viendra demain pour boucher et isoler la cheminée.

Papa eut un sourire, le plus étrange sourire que j'aie jamais vu sur ses lèvres. Il lui tendit soudain son bouquet de fleurs. Et je remarquai pour la première fois qu'il s'agissait de roses roses.

Je remarquai aussi que les joues de papa étaient en train de leur voler leur couleur.

Il dit:

— J'avais acheté ça... pour m'excuser de vous avoir appelée... hum... idiote.

Elle dit:

— Je suis navrée de vous avoir traité de mufle.

Il dit:

— Oh mais j'ai été mufle, ce jour-là!

Elle dit:

— Et moi j'étais vraiment idiote!

Il dit...

Je n'ai plus écouté ce qu'ils se sont dit. Elsa m'avait tiré la manche, entraîné hors de la pièce secrète (qui devenait la pièce aux secrets) et je me retrouvai dans le salon, puis dehors, sur le palier.

Elsa me fixa, des feux d'artifice plein les yeux:

— Julius... C'est elle!

Je baissai le front.

— On dirait... soupirai-je.

— Elle te plaît pas?

— Si... marmonnai-je. Elle a le plus beau sourire du monde, les plus beaux yeux du monde, le métier le plus rigolo du monde, le plus....

J'éclatai:

— Mais t'as vu ce bordel chez elle? Je vais avoir deux fois plus de travail!

*
*   *

Tatie Taticheff dévorait, à pleines dents et au sens figuré, son troisième roman d'amour de la semaine. Au sens propre, elle grignotait du bout du dentier une assiettée de cornichons au sel. Sans quitter son livre des yeux.

Elsa et moi, on était assis à ses pieds. On discutait.

— Dans les romans de Tatie, c'est toujours les femmes qui rougissent.

— Il doit y avoir une erreur. Depuis qu'il connaît Dominique, papa Jean-Luc a l'air d'une purée de fraises!

— Ils ont tout faux, les romans de Tatie.

— Avec ses joues, à Dominique, on pourra jamais vérifier!

Bien qu'elle parût passionnée par les aventures du *Cavalier ténébreux*, Tatie prouva, une fois de plus, que ses oreilles captaient tout ce qui se disait autour, et même ailleurs. Elle abattit son livre dans un claquement sec.

— Fa n'empêfe pas le cœur de battre! dit-elle en agitant un index énergique. Tenez, écoutez fa...

Elle reprit sa page et se mit à lire :

La ravissante Liz Taybell portait une robe de satin rose. Rock Handsom sentit son cœur battre au galop, tel un cheval fou. Cependant, son visage ne montra ni émotion ni trouble...

— Fous comprenez ? fit Tatie en levant le nez.

Je ne fis aucun commentaire, mais je me dis qu'un cœur de *Cavalier ténébreux* ne pouvait que battre au galop !

— Quoi ? interrogea Elsa. Qu'est-ce qu'il faut comprendre ?

— Je feux dire qu'il n'y a pas de règle. Quand on aime, on peut afoir les joues rofes. On peut afoir le cœur qui bat. On peut afoir rien du tout.

— Ton idée était donc idiote ! glissai-je à Elsa.

— L'amour, poursuivait Tatie, n'a pas befoin qu'on f'occupe de lui. Il est affez occupé comme fa ! Les éfénements ne fe déroulent famais comme prévu. F'est la vie.

Nous restâmes silencieux, Elsa et moi. Elle avait sûrement raison, Tatie! L'amour, elle en connaissait un rayon, avec tous ces bouquins qu'elle lisait sur la question!

— C'est dans les romans que tu as appris ça? dit Elsa.

— F'est la vie! répéta Tatie. Ma vie afec ton grand-oncle Abel que j'ai tant aimé!

Il y eut un autre silence.

— Dis Tatie, fit Elsa. Pourquoi tu parles bien quand tu lis, et mal quand tu nous parles?

Tatie referma son livre en marquant sa page d'un doigt. Elle ôta lentement ses lunettes, nous dévisagea l'un après l'autre:

— Parce que, articula-t-elle très distinctement, les mensonges des livres doivent être lus avec la voix de la vérité. La vie, elle, a parfois besoin d'un peu de décorations pour être romanesque...

Elsa ouvrit des yeux comme des compotières.

— Oh! s'écria-t-elle. Tu mens donc, Tatie?

Tatie prit l'air indigné:

— Fertainement pas! s'exclama-t-elle. Famais!
Fuste un peu de décorafions, f'est tout!

Et elle repartit sur les nuages, en compagnie de
son ténébreux cavalier et de la Liz ravissante...

Épilogue

Dans les romans d'amour de Tatie, ils appellent ça un *happy end*. Une fin heureuse.

Ah! Ah! laissez-moi rire! Fin heureuse pour qui?

Parle-t-on de «fin heureuse» quand le garçon de la maison continue à jouer les grillons du foyer?

Car Dominique Laventure n'en sait pas plus sur les conjugaisons que papa Jean-Luc! Ni «astiquer»! ni «balayer»! ni «repasser»! ni «laver»! ni «épousseter»! ni «cuisiner»! ni...

J'ai pas fini d'être une fée du logis.

*
* *

… Mais elle connaît tant d'autres verbes! Des que je ne connaissais plus, que j'avais oubliés.

Elle sait me border, le soir, au fond de mon lit, m'embrasser avant d'éteindre la lampe, faire des câlins le matin au lever, dire «Julius» avec ce ton bien à elle, très doux; elle sait raconter des histoires, me lire *Rose de décembre* en jouant tous les personnages, elle sait…

Je m'arrête là. La liste est bien trop longue.

Mais ce sont mes conjugaisons préférées.